KOREA 102

Discover Korean

Authors

Kyungsook Kim, PhD, University of Alberta, Canada
Jooyeon Kang, PhD, University of Alberta, Canada
Jin Mi Kwon, PhD, University of Alberta, Canada
Byung-Geuk Kim, PhD, University of Alberta, Canada
Hwaja Park, MA, Sungkyunkwan University, Korea
Hyechung Cho, MEd, University of Alberta, Canada
English editor: Terry Nelson, PhD, Macquarie University, Australia

Discover Korean Workbook _ KOREA 102

First Published and distributed in 2022
by Pagijong Press, Inc.
749-F7, 45, Jojeong-daero, Hanam-si,
Gyeonggi-do, Republic of Korea 12918
Tel : 82-31-792-1193
Fax : 82-2-928-4683
www.pjbook.com

Publisher : Park Chan-ik

ISBN 979-11-5848-658-7 13710

Printed in Korea

* Audio files for this volume may be downloaded on the web in MP3 format at **http://www.pjbook.com/customer_download**

KOREA 102

Discover Korean Workbook

Kyungsook Kim, Jooyeon Kang, Jin Mi Kwon, Byung-Geuk Kim,
Hwaja Park, Hyechung Cho
English editor: Terry Nelson

Pagijong Press Inc.

머리말

본 워크북은 한글을 처음 접하는 학습자들이 교과서를 통해 이해한 다양한 문법과 표현들을 효과적으로 익히도록 구성되었습니다. 이를 위해 저자들은 학습자의 통합적인 언어 기능의 연습과 활용에 중점을 두고 본 워크북을 집필하였습니다.

1과에서는 학습자들이 한글 자모와 다양한 단어 읽기 연습을 통해서 한국어의 기초적인 읽기와 쓰기 능력을 단계적으로 익혀 나갈 수 있도록 문항을 구성하였습니다. 그리고 2과부터 6과까지는 각 단원에서 새롭게 소개된 어휘와 문법을 활용하여 학습자들이 말하기, 읽기, 듣기 및 쓰기 영역을 통합적으로 연습할 수 있는 문항들을 구성하였습니다.

첫 번째 어휘 영역은 각 단원의 기본 어휘를 연습할 수 있는 문항들로 구성되어 있습니다. 본 워크북은 어휘를 효과적으로 익히기 위한 오디오 자료 뿐만 아니라 학습자들이 단어의 의미를 시각적으로 이해하고 습득할 수 있도록 다양한 삽화를 통한 어휘 연습 자료들을 제공하고 있습니다.

두 번째 문법 영역에서는 학습자들이 교과서의 각 단원에서 학습한 문법적인 요소를 다양한 예문을 통하여 적용해 볼 수 있는 문항들을 제시하고 있습니다.

세 번째 영역은 말하기 및 읽기 연습을 위한 영역으로, 다양한 상황의 담화들을 통하여 학습자들이 한국어 의사 소통 능력을 향상시킬 수 있도록 하는 문항들로 구성하였습니다. 이것은 본 교재가 주어진 상황 속에서 학습자들이 적절한 언어를 사용하여 의사 소통할 수 있는 능력을 키우는 의사소통적 접근 방법에 기반을 두고 있기 때문입니다. 또한, 이 영역에서는 교과서 단원의 주제를 중심으로 읽기 텍스트들을 다양하게 제시하여 학습자들의 읽기와 이해 능력을 확장해서 연습해 볼 수 있도록 하였습니다.

네 번째 영역에서는 듣기 및 쓰기를 통합적으로 연습할 수 있는 문제들로 구성하였습니다. 이 영역에서는 기본적인 일상 생활에서 자주 접할 수 있는 다양한 듣기 상황들을 제시함으로써 학습자들이 실생활을 바탕으로 한 기초적인 듣기와 쓰기 능력을 키울 수 있도록 하였습니다.

나아가 학습자들의 한국어 능력 시험(TOPIK)에 대한 관심을 반영하여 실제 한국어 능력 시험과 유사한 형태의 말하기, 읽기, 듣기, 쓰기 영역의 문항들을 추가하였습니다. 이를 통해 한국어 능력 시험에 응시하고자 하는 학생들은 보다 실전 문제에 친근해 질 수 있을 것으로 기대됩니다.

끝으로 본 교재가 한국어를 외국어로 배우는 학습자들에게 유익한 학습 자료로 활용되어지기를 기대합니다.

2022년 5월

앨버타 주립 대학교 한국어과 교수, 김경숙
공동 저자: 강주연, 권진미, 김병극, 박화자, 조혜정

Preface

This workbook will be most effective when used in conjunction with the textbook Discover Korean I, as it aims to help novice learners of Korean to practice and effectively use the grammar and various expressions introduced in that text. To facilitate the learning process, the authors have followed an integrated skills approach, with the practice and use of all four skills included in all six units except unit 1.

In unit 1, we have included questions to help learners acquire the basic reading and writing skills of Korean through a step by step approach. We have included a pronunciation focus, as well. Learners can learn the pronunciation of various vocabulary items based on their understanding of the Hangul alphabet. Units 2 -6 encourage learners to practice speaking, reading, listening and writing in an integrated way utilizing newly-introduced vocabulary and grammar in each unit.

The first section of each unit consists of questions that allow learners to practice the basic vocabulary of the unit. Vocabulary acquisition is facilitated by audio materials and a variety of illustrations, both of which provide meaningful additional practice. The second section of each unit contains examples to help learners apply the grammatical concepts learned in the unit. The third section consists of questions that allow learners to practice speaking and reading. The questions serve to guide learners in improving their ability to communicate in various situations. This is because the workbook is based on a communicative language teaching approach to foster the development of communication skills most appropriate for the real world. This section also provides various reading materials relating to the topic of each textbook unit to develop learners'reading skills, expand their knowledge, and enhance their understanding of grammar and vocabulary, all in ways which can be applied to their daily communication.

The fourth section includes questions for listening and writing practice. This section makes use of high frequency, real world listening materials which allow learners to apply and utilize basic listening and writing skills in a variety of real-life situations.

In addition, given current learners'interest in the Test of Proficiency in Korean (TOPIK), the authors have included reading and listening questions in the fourth section that are similar to those on the test. This provides learners an opportunity to familiarize themselves with the question style on the test prior to taking it.

In closing, we would like to wish you, the Korean language learner, the best of luck in your studies. We sincerely hope that this workbook proves to be a useful resource on your journey.

May, 2022

Kyungsook Kim, Korean Language Program Coordinator, University of Alberta
Co-authors: Jooyeon Kang, Jin Mi Kwon, Byung-Geuk Kim, Hwaja Park, Hyechung Cho

목차

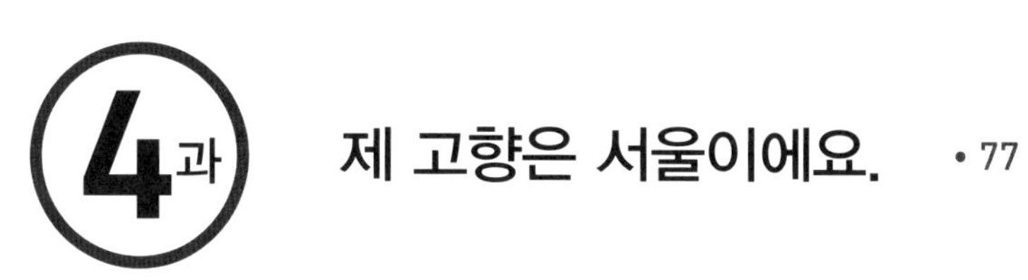

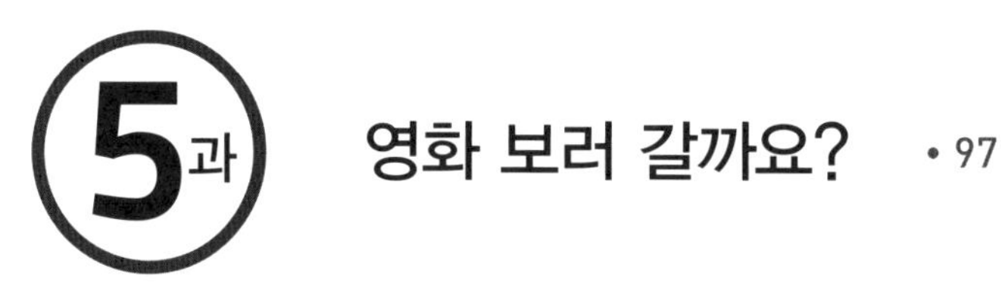

Workbook

어제 뭐 했어요?

단어 (Vocabulary)

1 **Listen and write the word you hear below the corresponding picture.**

어제 비행기 과일 신문 야채 삼촌 술 머리 작년 닭고기

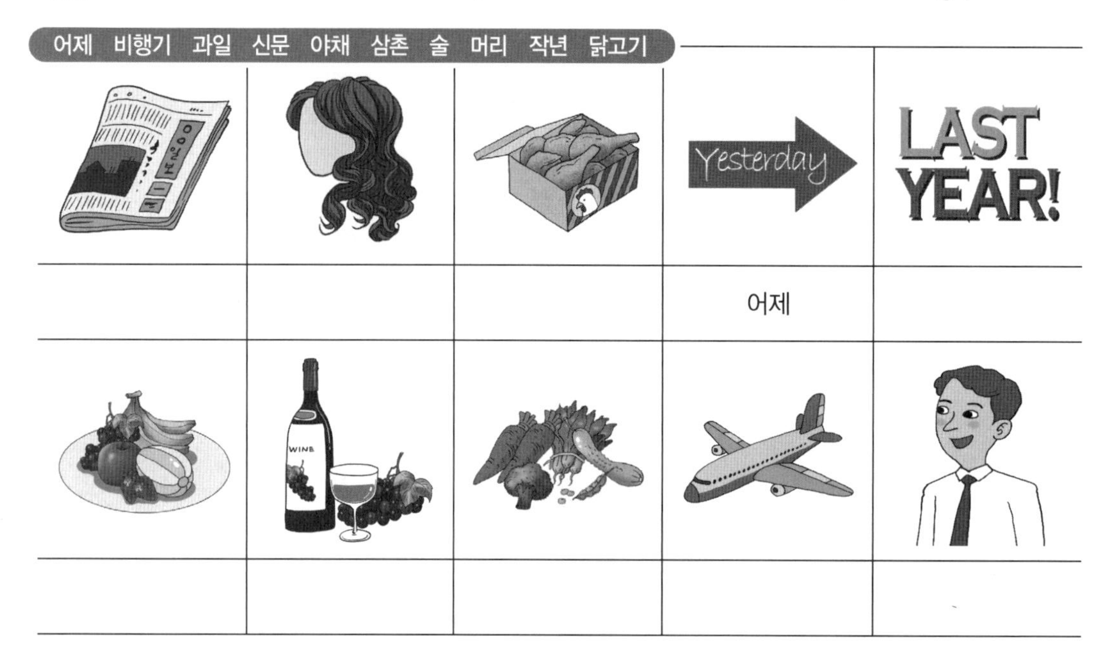

2 **Listen and write the word you hear below the corresponding picture.**

샐러드 휴일 마트 소설책 은행 손 잡지 수영장 가수 테니스장

3 Listen and write the word you hear below the corresponding picture.

모르다 산책하다 설거지하다 웃다 말하다 친하다 여행하다 목욕하다 씻다 청소하다

4 Listen and write the word you hear below the corresponding picture.

타다 조용하다 예쁘다 드시다 착하다 주무시다 데이트하다 싫어하다 깨끗하다 키가 크다

문법 (Grammar)

1 Write the negative 안 in the correct blanks.

(1) 저는 자주 [ ] 커피를 [안] 마셔요.

(2) 줄리아하고 제니는 [ ] 친 [ ] 해요.

(3) 저는 아침에 [ ] 손을 [ ] 씻어요.

(4) 제니는 토요일에 [ ] 산책 [ ] 해요.

(5) 벤의 방이 [ ] 깨끗 [ ] 해요.

(6) 벤은 [ ] 한국 신문을 [ ] 읽어요.

(7) 미쉘은 일요일에 [ ] 청소 [ ] 해요.

(8) 오늘 도서관이 [ ] 조용 [ ] 해요.

2 Look at the table and answer the questions as in the example.

	 (cleaning)	 (washing hands)	 (walking the dog)	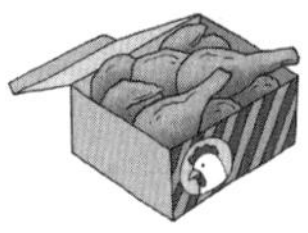 (chicken)	 (bath)
벤	Rarely	Rarely	Never	Every day	Every day
서리나	Every day	Often	Often	Sometimes	Every day
미쉘	Every day	Often	Rarely	Never	Every day
마이클	Never	Never	Never	Every day	Rarely

(1) 벤은 자주 청소해요? 아니요, 자주 청소 안 해요.

(2) 서리나는 자주 산책해요? [ ].

(3) 서리나는 닭고기를 매일 먹어요? [ ].

(4) 미쉘은 매일 산책해요? [ ].

(5) 벤은 자주 손을 씻어요? ________________.

(6) 마이클의 방은 깨끗해요? ________________.

(7) 마이클은 자주 목욕해요? ________________.

3 Provide the negative responses to the following questions.

(1) A: 내일 도서관에 가요?
B: 아니요, 내일 도서관에 안 가요.

(2) 오늘 수업이 있어요?
B: 아니요, ________________.

(3) 이번 학기에 중국어를 배워요?
B: 아니요, ________________.

(4) 텔레비전을 매일 봐요?
B: 아니요, ________________.

(5) 닭고기가 맛있어요?
B: 아니요, ________________.

(6) 줄리아를 알아요?
B: 아니요, ________________.

(7) 줄리아가 한국 사람이에요?
B: 아니요, ________________.

(8) 테니스가 재미있어요?
B: 아니요, ________________.

(9) 학생들이 교실에서 조용해요?
B: 아니요, ________________.

(10) 자주 여행해요?
B: 아니요, ________________.

4 Complete the dialogues, using 안 or 못.

(1) A: 내일 테니스 치러 가요?
B: 아니요, 못 가요. 내일 수업이 있어요.

(2) A: 오늘 서리나가 설거지해요?
B: 아니요, ______. 오늘 숙제가 너무 많아요.

(3) A: 야채를 좋아하세요?
B: 아니요, ______. 저는 닭고기를 좋아해요.

(4) A: 마이클 방이 깨끗해요?
B: 아니요, ______. 마이클은 청소를 싫어해요 .

(5) A: 한국어를 자주 연습해요?
B: 아니요, 자주 ______. 요즘 좀 바빠요.

5 List five things you cannot do and make sentences, using 못.

(1) ______.

(2) ______.

(3) ______.

(4) ______.

(5) ______.

6 Fill in the blanks with 네 or 아니요 based on the context.

(1) A: 친구하고 자주 이야기 안 해요?
B: ______, 자주 못 해요.

(2) A: 텔레비전 자주 안 봐요?
B: ______, 자주 안 봐요.

(3) A: 오늘 운동하러 안 가세요?

B: [ ], 안 가요.

(4) A: 집에 야채가 없어요?

B: [ ], 그래서 지금 마트에 가요.

(5) A: 이번 주 화요일이 휴일이 아니에요?

B: [ ], 다음 주 화요일이 휴일이에요.

(6) A: 안 자요?

B: [ ], 자요.

(7) A: 아침 안 먹어요?

B: [ ], 안 먹어요.

(8) A: 닭고기를 안 좋아해요?

B: [ ], 저는 닭고기를 싫어해요.

(9) A: 줄리아하고 안 친해요?

B: [ ], 저는 미쉘하고 친해요.

(10) A: 한국어 못 해요?

B: [ ], 잘해요.

7 Write the following verbs and adjectives into the present polite form.

Basic form	Present Polite form	Basic form	Present Polite form
많다	많아요	씻다	
웃다		청소하다	
타다		깨끗하다	
조용하다		말하다	
친하다		착하다	
크다		예쁘다	
바쁘다		지내다	

마시다		오다	
주다		듣다	
걷다		배우다	

8 Write the following verbs and adjectives into the past polite form.

Basic form	Past polite form	Basic form	Past polite form
많다	많았어요	씻다	
웃다		청소하다	
타다		깨끗하다	
조용하다		말하다	
친하다		착하다	
크다		예쁘다	
바쁘다		지내다	
마시다		오다	
주다		듣다	
걷다		배우다	

9 Complete the sentences as in the example.

(1) A: 벤의 형이 선생님이었어요?

B: 아니요, 벤의 형은 선생님이 아니었어요. 대학원생이었어요.

(2) A: 그 사람이 벤의 삼촌이었어요?

B: 아니요, 그 사람은 _______________.

(3) A: 그 건물이 체육관이었어요?

B: 아니요, 그 건물은 _______________.

(4) A: 어제가 21일이었어요?

B: 아니요, 어제는 _______________.

(5) A: 서리나의 생일이 10월이었어요?

B: 아니요, 서리나의 생일은 ______.

(6) A: 어제가 토요일이었어요?

B: 아니요, 어제는 ______.

(7) A: 그 음식이 떡볶이였어요?

B: 아니요, 그 음식은 ______.

(8) A: 작년에 샤닐의 나이가 19살이었어요?

B: 아니요, 작년에 샤닐의 나이는 ______.

(9) A: 사과가 2개였어요?

B: 아니요, 사과가 ______.

(10) A: 그 지우개가 서리나 거였어요?

B: 아니요, 그 지우개는 ______.

10 **This is a day of Ben's life. Change the following sentences into the past event, as in the example.**

오늘	어제
오늘 저는 7시에 일어나요.	어제 저는 7시에 일어났어요.
오늘 저는 주스를 마셔요.	
오늘 한국어 수업을 들어요.	
오늘 학교에서 샤닐을 만나요.	
오늘이 샤닐 생일이에요.	
오늘 한국 식당에서 밥을 먹어요.	
오늘 우리는 이야기를 많이 해요.	
오늘 저녁에 영화도 봐요.	
오늘 영화가 재미있어요.	

11 Select the appropriate words and fill in the blanks in the appropriate form.

가다	마시다	많다	재미있다	먹다	일어나다	보다	자다	조용하다	웃다	만나다

1. 어제는 아침 10시에 [ ]. 그래서 한국어 수업에 못 갔어요.
   (I got up at 10 am yesterday. So I could not go to the Korean class.)

2. 아침도 못 [ ]. 주스만 [ ].
   (I could not eat breakfast, either. I drank only juice.)

3. 11시에 경제학 시험을 [ ].
   (I took the economics exam at 11 am.)

4. 1시에 학교 식당에서 샤닐을 [ ].
   (I met Shanil at the school cafeteria at 1 pm.)

5. 샤닐의 이야기는 참 [ ]. 우리는 많이 [ ].
   (Shanil's story was very fun. We had a lot of laugh.)

6. 오후 3시에 우리는 숙제하러 도서관에 [ ].
   (At 3 pm, we went to the library to do the homework.)

7. 도서관에 학생들이 [ ]. 그런데 도서관은 [ ].
   (There were lots of students in the library. But the library was quiet.)

8. 저는 밤 12시에 [ ].
   (I slept at 12 am.)

12 **Write the following verbs and adjectives into the honorific forms.**

Basic	Present honorific	Past honorific
타다	타세요	타셨어요
모르다		
있다 (existence)		
있다 (possession)		
삼촌이다		
가수다		
웃다		
듣다		
걷다		
씻다		
친하다		
자다	주무세요	
먹다	드세요	

13 **Look at the following pictures and describe the people's actions, as in the example.**

(1)	줄리아	샤닐	줄리아는 커피를 마시고 샤닐은 신문을 읽어요.
(2)	벤	서리나	

14 Select the appropriate words and complete the dialogues using -고.

조용하다	넓다	맛있다	깨끗하다	싸다	착하다	재미있다	크다	친절하다	예쁘다

(1) A: 음식이 어때요?
B: 맛있고 싸요.

(2) A: 도서관이 어때요?
B: ______________________.

(3) A: 이 방이 어때요?
B: ______________________.

(4) A: 서리나 친구가 어때요?
B: ______________________.

(5) A: 가방이 어때요?
B: ______________________.

(6) A: 한국어 반 학생들이 어땠어요?
B: ______________________.

15 The pictures show Cerina's daily schedules. Fill in the blanks.

(1) 저는 신문을 보고 밥을 먹어요. 저는 밥을 ____________ 설거지해요.

(2) 저는 ____________ 커피를 마셔요. 저는 커피를 ____________ 공부해요.

(3) 저는 ____________ 산책해요. 저는 ____________ 손을 씻어요.

(4) 저는 텔레비전을 ____________ 목욕해요. 저는 ____________ 자요.

16 Complete the sentences, according to the English translations.

(1) 저는 닭고기하고 샐러드를 먹어요.

닭고기는 [ ] 샐러드는 [ ].
(The chicken is delicious, and the salad is not tasty.)

(2) 어제 저는 커피를 [ ] 제 동생은 주스를 [ ].
(I drank coffee, and my brother drank a juice.)

(3) 제 방은 [ ] [ ].
(My room is clean and quiet.)

(4) 어제 저는 공원에서 [ ] 테니스도 [ ].
(Yesterday I walked at the park and played tennis as well.)

(5) 지난 학기에 저는 한국어 수업도 [ ] 경제학 수업도 [ ].
(Last semester I took Korean class and Economics class.)

17 Conjugate the following verbs and adjectives using -어서/아서.

Dic. form	-어서/아서	Dic. form	-어서/아서
가다		앉다	
오다		만나다	
태어나다(to be born)		운전하다	
일어나다		사다	
씻다		배우다	

18 Combine two sequential events using -어서/아서, as in the example.

(1) 친구를 만났어요. 점심 먹으러 갔어요.
→ 친구를 만나서 점심 먹으러 갔어요.

(2) 저는 백화점에 가요. 옷을 사요.

→ [ ].

(3) 형이 결혼했어요*. 한국에서 살아요. (*결혼하다: to get married)

→ ______________________________.

(4) 아침에 일어났어요. 커피를 마셨어요.

→ ______________________________.

(5) 여름에 한국에 가요. 한국어를 공부해요.

→ ______________________________.

(6) 저는 캐나다에서 태어났어요*. 캐나다에서 자랐어요*. (*태어나다: to be born, 자라다: to grow)

→ ______________________________.

19 Select appropriate verbs and fill in the blanks using –어서/아서.

배우다 받다 가다 사다 일어나다 만나다 앉다 결혼하다* 오다

(1) 수영장에 __________ 수영했어요.

(2) 남자 친구를 __________ 같이 영화를 봤어요.

(3) 우리 언니는 작년에 __________ 지금 한국에 살아요.

(4) 아침에 일찍 __________ 목욕했어요.

(5) 서점에서 책을 __________ 읽었어요.

(6) 저는 집에 __________ 숙제했어요.

(7) 우리는 의자에 __________ 얘기했어요.

(8) 돈을 __________ 옷을 샀어요.

(9) 한국어를 __________ 한국어 선생님이 되었어요.

*결혼하다: to get married

읽기 (Reading) & 쓰기 (Writing)

1 **Read the schedule that explains what Shanil did last Saturday. Determine if it is T(rue) or F(alse). Please use a dictionary for the new vocabulary that is indicated with the sign *.**

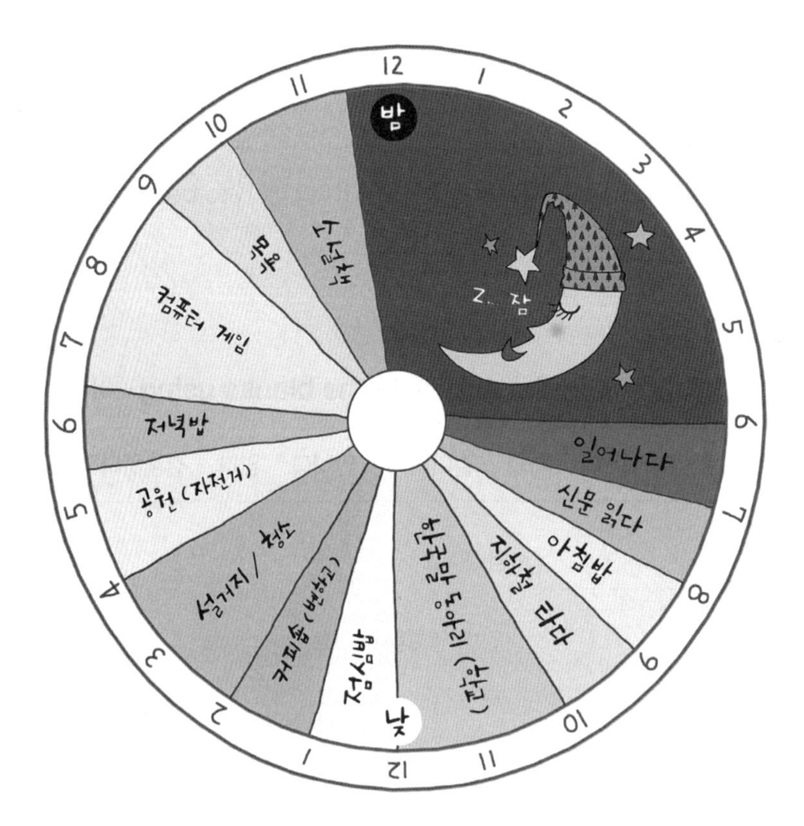

(1) ☐ Shanil read a novel in the morning.

(2) ☐ Shanil met Ben at the library.

(3) ☐ Shanil went to the Korean class.

(4) ☐ Shanil went to school by bus.

(5) ☐ Shanil watched TV at night.

(6) ☐ Shanil rode a bicycle at the park.

(7) ☐ Shanil washed the dishes.

2 **Read the dialogue between Jun and Cerina. Complete the table below.**

서리나	준, 어제 어디서 점심 먹었어요?
준	학교 식당에서 먹었어요.
서리나	뭘 먹었어요?
준	닭고기 먹었어요. 서리나는 어제 어디서 점심 먹었어요?
서리나	저는 학교 식당 음식을 안 좋아해요. 그래서 저는 보통 집에서 요리해서 먹어요.
준	그래요? 어제도 집에서 요리해서 먹었어요?
서리나	네, 한국 음식을 요리해서 먹었어요. 준은 지난 주말에 뭐 했어요?
준	저는 집에서 청소하고 설거지했어요. 서리나는 주말에 뭐 했어요?
서리나	저는 마트에 가서 야채를 샀어요.
준	서리나는 야채를 좋아해요?
서리나	네, 아주 좋아해요. 그래서 매일 먹어요. 준도 야채를 자주 먹어요?
준	아니요, 저는 야채를 안 먹어요.
서리나	그럼, 준은 보통 뭘 자주 먹어요?
준	저는 과일을 자주 먹어요. 서리나는 운동 좋아해요?
서리나	아니요, 저는 운동 안 좋아해요. 준도 운동 안 좋아해요?
준	아니요, 저는 운동 좋아해요.

Questions	서리나	준
어제 어디서 식사했어요?	집에서 식사했어요.	
어제 뭘 먹었어요?		
지난 주말에 뭐 했어요?		
뭘 자주 먹어요?		
운동 안 좋아해요?		

3 Read the following narration and respond to the questions.

샤닐하고 벤은 아주 친해요. 그래서 샤닐은 매주 토요일에 벤을 만나요. 샤닐하고 벤은 주말에 보통 체육관에서 만나서 같이 운동해요. 그런데 이번 토요일에 샤닐은 벤을 못 만났어요. 토요일에 샤닐이 바빴어요. 샤닐은 아버지하고 같이 집을 청소했어요. 그리고 어머니하고 같이 마트에 가서 과일을 샀어요. 일요일 아침에 벤이 전화했어요. 그래서 샤닐은 일요일에 벤 집에 갔어요. 벤하고 샤닐은 벤 집에서 닭고기 요리를 해서 먹었어요. 벤은 닭고기 요리를 아주 잘 했어요. 벤하고 샤닐은 같이 한국어 숙제도 했어요. 샤닐은 저녁 늦게 집에 갔어요.

(1) 샤닐은 누구하고 친해요?

______________________.

(2) 샤닐은 토요일에 보통 뭐 해요?

______________________.

(3) 이번 토요일에 샤닐은 왜 바빴어요?

______________________.

(4) 샤닐은 벤 집에서 뭘 했어요?

______________________.

(5) 벤은 뭘 잘 했어요?

______________________.

(6) 샤닐은 언제 집에 갔어요?

______________________.

듣기 (Listening) & 쓰기 (Writing)

1 Listen and select the most appropriate response to the question.

(1) ① 네, 좋아해요. ② 아니요, 안 좋아해요.
③ 네, 싫어해요. ④ 아니요, 안 먹어요.

(2) ① 네, 자주 먹어요. ② 아니요, 매일 먹어요.
③ 네, 잘 씻어요. ④ 아니요, 잘 먹어요.

(3) ① 네, 친절해요. ② 아니요, 안 친해요.
③ 네, 친구예요. ④ 아니요, 친해요.

(4) ① 네, 서리나였어요. ② 아니요, 서리나가 아니었어요.
③ 네, 제 거였어요. ④ 아니요, 지우개였어요.

(5) ① 사과를 드셨어요. ② 라디오를 들었어요.
③ 많이 먹었어요. ④ 빵을 먹었어요.

(6) ① 네, 매일 일해요. ② 아니요, 자주 일해요.
③ 네, 매일 일어나요. ④ 아니요, 늦게 일어나요.

2 Listen to the short dialogue and choose the true sentence based on the dialogue.

(1) ① 벤은 어제 야채를 샀어요. ② 벤은 어제 마트에 못 갔어요.
③ 벤은 오늘 아침에 청소했어요. ④ 벤은 마트에 가서 과일을 샀어요.

(2) ① 벤은 친구가 많아요. ② 벤은 케빈을 자주 만나요.
③ 벤이 요즘 바빠요. ④ 벤은 케빈하고 친해요.

(3) ① 벤은 요즘 부모님 집에 있어요. ② 벤은 어제 시간이 많았어요.
③ 벤은 부모님을 자주 만나요. ④ 벤은 어제 서리나하고 전화 못 했어요.

3 Write down the dates that you hear as in 1.

(1) 11월 11일
(2)
(3)
(4)
(5)
(6)
(7)
(8)

4 Listen carefully and find out who was doing which activity. Connect each person with the corresponding box below.

줄리아 준 리아 샤닐 제니

Washing an apple	Meeting a friend	Getting up in the morning	Coming home	Going to the library
Taking a walk	Cleaning	Washing dishes	Eating an apple	Reading magazines

5 Listen carefully and fill in each blank.

(1) 저는 ______ 좋아하고 야채를 ______.

(2) 제 생일은 ______ 이에요.

(3) 어제 텔레비전 ______.

(4) 아침에 ______.

(5) 과일을 보통 [ ] 먹어요.

(6) 자주 [ ]?

(7) [ ] 저는 한국에 갔어요.

(8) [ ] 삼촌이 제 요리를 좋아하셨어요.

(9) 서리나 방은 [ ] [ ].

(10) 저는 매일 아침 [ ] 일어나요.

6 **Listen to the dialogue between Cerina and Ben, and write T(rue) or F(alse) on each sentence.**

(1) [ ] Ben went to the gym last weekend.

(2) [ ] Ben often plays tennis.

(3) [ ] Cerina had a meal at home today.

(4) [ ] Cerina has no class today.

(5) [ ] Cerina often cooks.

7 **Listen to the narrations about Ben and Cerina's daily activities. Write 'B' if you find an activity that involves Ben and write 'C' if you find an activity that involves Cerina. Write 'X' if it involves neither Ben nor Cerina.**

수업이 있었어요.	B	수업이 없었어요.	
일찍 일어났어요.		늦게 일어났어요.	
일찍 잤어요.		늦게 잤어요.	
아침을 못 먹었어요.		은행에 갔어요.	X
텔레비전을 봤어요.		마트에 갔어요.	
식당에 갔어요.		도서관에 갔어요.	
집에 늦게 왔어요.		집에 일찍 왔어요.	

닭고기를 먹었어요.		숙제했어요.	
샐러드를 먹었어요.	C	청소했어요.	
산책했어요.		설거지했어요.	

8 **Listen to the questions and write your own responses in Korean.**

(1) .

(2) .

(3) .

(4) .

(5) .

(6) .

(7) .

(8) .

(9) .

(10) .

9 **Listen and respond to the questions using -고 or -어서/아서.**

(1) .

(2) .

(3) .

(4) .

(5) .

Workbook

이번 방학에 뭐 할 거예요?

단어 (Vocabulary)

1 Listen and write the word you hear below the corresponding picture.

비 눈 젓가락 날씨 고향 부채 생활 방학 중고차 피아노

2 Listen and write the word you hear below the corresponding picture.

다음 스키 내년 자전거 겨울 여름 춤 스케이트 파티

3 Listen and write the word you hear below the corresponding picture.

살다 갖다 결혼하다 쓰다 입다 다니다 추다 운전하다

4 Listen and write the word you hear below the corresponding picture.

멀다 귀엽다 쉽다 즐겁다 맑다 덥다 어렵다 좁다 춥다 그립다 따뜻하다 흐리다 가깝다

문법 (Grammar)

1 Fill out the table, using -을/ㄹ 거예요.

Dictionary form	Future tense	Dictionary form	Future tense
많다		앉다	
다니다		따뜻하다	
살다		입다	
운전하다		걷다	
크다		듣다	
바쁘다		맑다	
멀다		좁다	
흐리다		(춤을) 추다	
이다		아니다	

2 Select the appropriate words and complete the sentences using the future forms.

흐리다 쓰다 타다 듣다 입다 운전하다 살다 추다 따뜻하다

(1)  스케이트를 ______.

(2)   차를 ______.

(3)  오늘 날씨가 ______.

(4) 오늘 저는 바지를 [   ].

(5) 춤을 [   ].

(6) 젓가락을 [   ].

(7) 오늘 날씨가 [   ].

(8) 수업을 [   ].

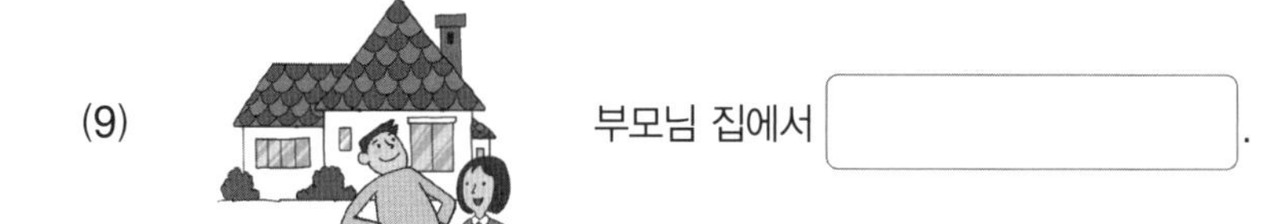

(9) 부모님 집에서 [   ].

3 Write the following verbs and adjectives into the suggested forms.

Dictionary form	-어요/아요	-었/았어요	-을/ㄹ 거예요
좁다			
입다			
결혼하다			

가지다			
쓰다			
바쁘다			
지내다			
다니다			
보다			
흐리다			
오다			
(춤을) 추다			
배우다			
따뜻하다			
이다			
살다			
듣다			
걷다			

4 Complete the dialogue using the given predicates.

벤: 이번 여름에 뭐 할 거예요?

서리나: 운전을 (1) ________. (배우다) 벤은 이번 여름에 뭐 할 거예요?

벤: 저는 수업을 (2) ________. (듣다)

참, 지난 일요일이 제 생일 (3) ________. (이다)

서리나: 그랬어요? 생일에 뭐 (4) ________? (하다)

벤: 집에서 파티도 하고 영화도 (5) ________. (보다)

서리나: 생일 파티에 누가 (6) ___ ? (오다)

벤: 샤닐하고 준이 와서 같이 케이크 (7) ___ . (먹다)

서리나 생일은 언제 (8) ___ ? (이다)

서리나: 다음 주 목요일 (9) ___ . (이다)

벤: 생일에 뭐 (10) ___ ? (하다)

서리나: 언니 만나러 밴쿠버에 (11) ___ . (가다)

밴쿠버에 언니가 (12) ___ . (있다)

벤: 그런데 내일 저녁에 집에 (13) ___ ? (있다)

서리나: 아니요. 내일 저녁에 선생님을 (14) ___ . (만나다)

벤: 저는 이번 주말에 스케이트 (15) ___ . 같이 가요. (타다)

서리나: 미안해요. 이번 주말에도 저는 좀 (16) ___ . (바쁘다)

5 Write the following verbs into the suggested forms.

Dictionary form	-을/ㄹ 거예요	-(으)실 거예요
다니다		
입다		
먹다		
걷다		
받다		
듣다		
운전하다		

6 Fill in the blanks using the future tense of the suggested verbs.

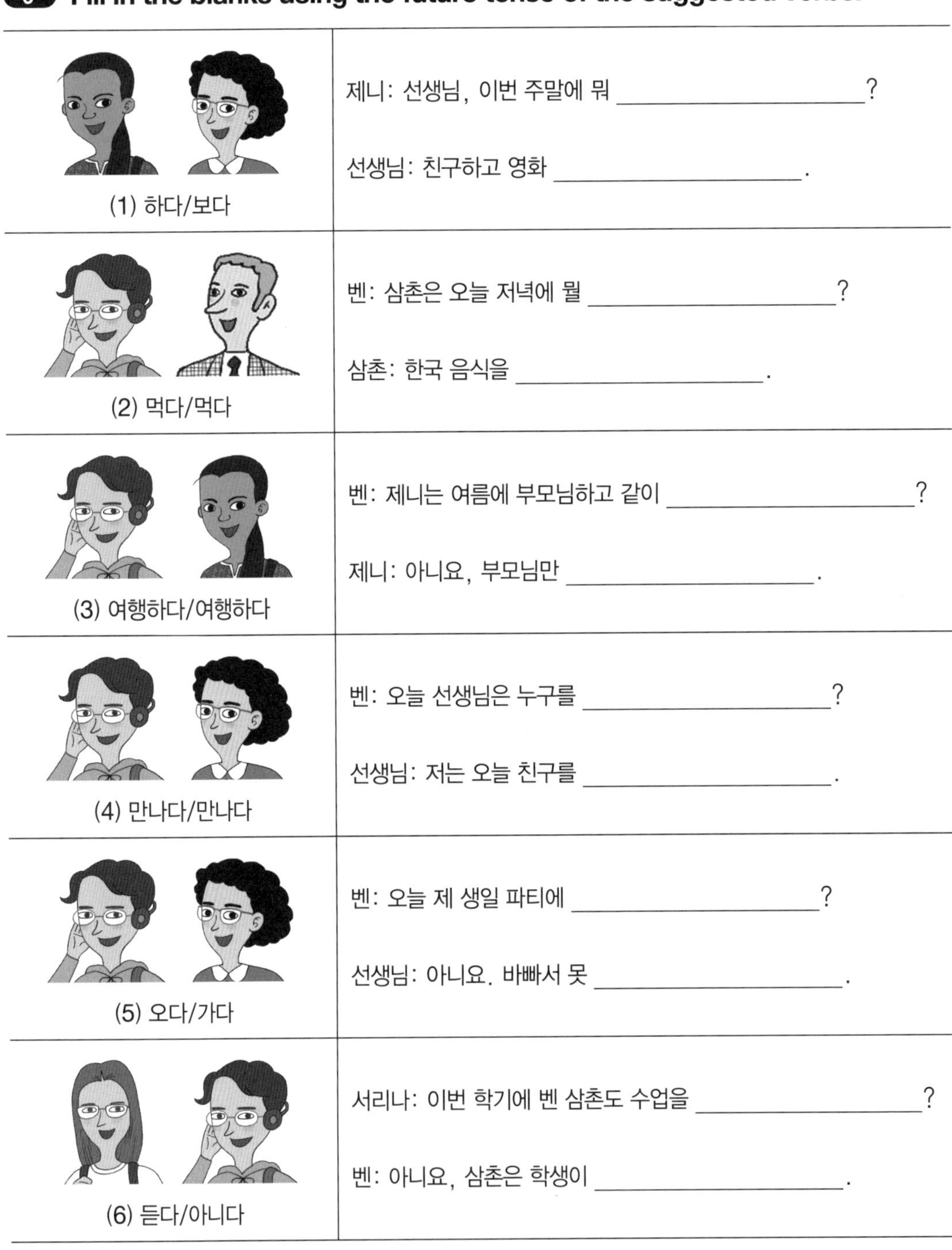

(1) 하다/보다	제니: 선생님, 이번 주말에 뭐 ____________________? 선생님: 친구하고 영화 ____________________.
(2) 먹다/먹다	벤: 삼촌은 오늘 저녁에 뭘 ____________________? 삼촌: 한국 음식을 ____________________.
(3) 여행하다/여행하다	벤: 제니는 여름에 부모님하고 같이 ____________________? 제니: 아니요, 부모님만 ____________________.
(4) 만나다/만나다	벤: 오늘 선생님은 누구를 ____________________? 선생님: 저는 오늘 친구를 ____________________.
(5) 오다/가다	벤: 오늘 제 생일 파티에 ____________________? 선생님: 아니요. 바빠서 못 ____________________.
(6) 듣다/아니다	서리나: 이번 학기에 벤 삼촌도 수업을 ____________________? 벤: 아니요, 삼촌은 학생이 ____________________.

7 Complete the sentences to explain what each person wants to do, using 고 싶어하다.

서리나	줄리아	벤	선생님	샤닐

(1) 서리나는 오늘 저녁에 ______________________.

(2) 줄리아는 이번 주말에 ______________________.

(3) 벤은 오늘 오후에 ______________________.

(4) 선생님은 겨울 방학에 ______________________.

(5) 샤닐은 매일 ______________________.

8 Complete the table using -을/ㄹ 수 있다.

Dictionary form	-을/ㄹ 수 있다	Dictionary form	-을/ㄹ 수 있다
입다		사다	
걷다		살다	
운전하다		가지다	
쓰다		듣다	
(춤을) 추다		치다	
다니다		씻다	

9 List 4 things that you can do well, and write the sentences in the blanks.

(Example) 저는 자전거를 잘 탈 수 있어요.

(1) ______________________.

(2) ______________________.

(3) ______________________.

(4) ______________________.

10 List 4 things that you can't do, and write the sentences in the blanks.

(Example) 저는 저녁에 커피를 마실 수 없어요.

(1) ______________________.

(2) ______________________.

(3) ______________________.

(4) ______________________.

11 Complete the sentences using 그렇지만.

(Example) 내일이 동생 생일이에요. 그렇지만 생일 선물을 못 샀어요.

(1) 공부를 많이 했어요. 그렇지만 ______________________.

(2) 오늘 택시를 타고 학교에 왔어요. 그렇지만 ______________________.

(3) 백화점에서 가방을 봤어요. 가방이 예뻤어요. 그렇지만 ______________________.

(4) 한국어는 재미있어요. 그렇지만 ______________________.

(5) 오늘 날씨가 맑아요. 그렇지만 ______________________.

(6) 내일 친구들이 영화 보러 가요. 그렇지만 [ ].

(7) 이번 방학에 한국에 가고 싶어요. 그렇지만 [ ].

(8) 어머니는 요리를 잘 하세요. 그렇지만 아버지는 [ ].

12 Fill in the blanks with the proper conjunctions. Use each only once. (그리고, 그래서, 그런데, 그렇지만, 그럼)

(1) A: 지난 주말에 뭐 했어요?

B: 토요일에 친구하고 영화 봤어요. [ ] 교회에도 갔어요.

(2) A: 캐나다는 지금 낮이에요. [ ] 한국은 밤이에요.

(3) A: 요즘 바쁘세요?

B: 네. 이번 학기에 숙제가 많아요. [ ] 좀 바빠요. [ ] 지금 어디 가세요?

A: 운동하러 체육관에 가요.

(4) A: 줄리아, 어디 가세요?

B: 우체국에 가요. 샤닐은요?

A: 저도 우체국에 가요.

B: [ ], 우리 같이 가요.

13 Complete the table using the polite form.

Dictionary form	Polite form	Dictionary form	Polite form
춥다	추워요	그립다	
덥다		가깝다	
어렵다		귀엽다	
쉽다		즐겁다	
입다 (regular)		좁다 (regular)	

Lesson 1 Lesson 2 Lesson 3 Lesson 4 Lesson 5

14 Complete the dialogues using the polite form.

(1) 쉽다/어렵다

A: 숙제가 쉬워요?

B: 아니요, ______________________.

(2) 춥다/덥다

A: 날씨가 ______________________?

B: 아니요, ______________________.

(3) 멀다/가깝다

A: 집이 ______________________?

B: 아니요, 아주 ______________________.

(4) 무섭다(scary)/귀엽다

A: 강아지가 ______________________?

B: 아니요, 아주 ______________________.

(5) 재미없다/즐겁다

A: 춤이 ______________________?

B: 아니요, 재미있어요.
저는 지금 아주 ______________________.

(6) 깨끗하다/더럽다	A: 손이 ____________? B: 아니요, 아주 ____________.
(7) 넓다/좁다	A: 방이 ____________? B: 아니요, 아주 ____________.

15 **Select the appropriate words and fill in the blanks using the polite form.**

가깝다 그립다 덥다 쉽다 즐겁다 더럽다 어렵다 춥다 좁다

(1) 8월에는 날씨가 [ ].

(2) 한국어는 [ ]. 그리고 아주 재미있어요.

(3) 집에서 학교까지 참 [ ]. 걸어서 3분 걸려요.

(4) 오늘은 −10도 (degree)예요. 날씨가 [ ].

(5) 경제학 수업이 [ ]. 그래서 매일 공부해요.

(6) 제 방은 아주 [ ]. 그런데 친구 방은 아주 넓어요.

(7) 방이 [ ]. 그래서 오늘 청소할 거예요.

(8) 부모님이 [ ]. 그렇지만 이번 여름에는 집에 못 가요.

(9) 학교 생활이 조금 바빠요. 그렇지만 [ ].

16 Complete the table using -지만.

Dictionary form	Present form	Past form
좋다	좋지만	
맑다		맑았지만
보고 싶다		
따뜻하다		
타다		
흐리다		
다니다		
춤(을) 추다		
춥다		
그립다		
좁다		
살다		
멀다		
쓰다		
어렵다		

17 Fill in the blanks using -지만.

(1) 저는 여행을 자주 [ ] 지도를 자주 안 봐요. (하다)

(2) 저는 테니스를 자주 [ ] 제 친구는 테니스를 자주 안 쳐요. (치다)

(3) 날씨가 [ ] 조금 추워요. (맑다)

(4) 도서관은 사람이 [ ] 조용해요. (많다)

(5) 리아는 캐나다에 [ ] 한국어를 잘 해요. (살다)

(6) 학교 생활이 [ ] 숙제가 많아요. (즐겁다)

(7) 학교가 [ ] 걸어서 다녀요. (멀다)

18 **Select an appropriate word and fill in the blank according to the context, using -지만 with a proper tense.**

어렵다 즐겁다 다니다 흐리다 갖고 싶다 이다 짧다 귀엽다

(1) 방학이 [ ] 즐거웠어요.

(2) 강아지는 [ ] 가질 수 없었어요.

(3) 부채춤이 [ ] 재미있었어요.

(4) 날씨가 [ ] 따뜻했어요.

(5) 학교 생활이 [ ] 고향이 자주 그리웠어요.

(6) 세라는 학생 [ ] 기숙사에 못 살았어요.

(7) 벤은 새 차를 [ ] 돈이 없었어요.

(8) 샤닐 동생은 작년에 고등학교에 [ ] 지금은 대학생이에요.

Lesson 1 Lesson 2 Lesson 3 Lesson 4 Lesson 5

읽기 (Reading) & 쓰기 (Writing)

1 **Read the poster and write T(rue) or F(alse) based on the context. Please use a dictionary for the new vocabulary with the sign *.**

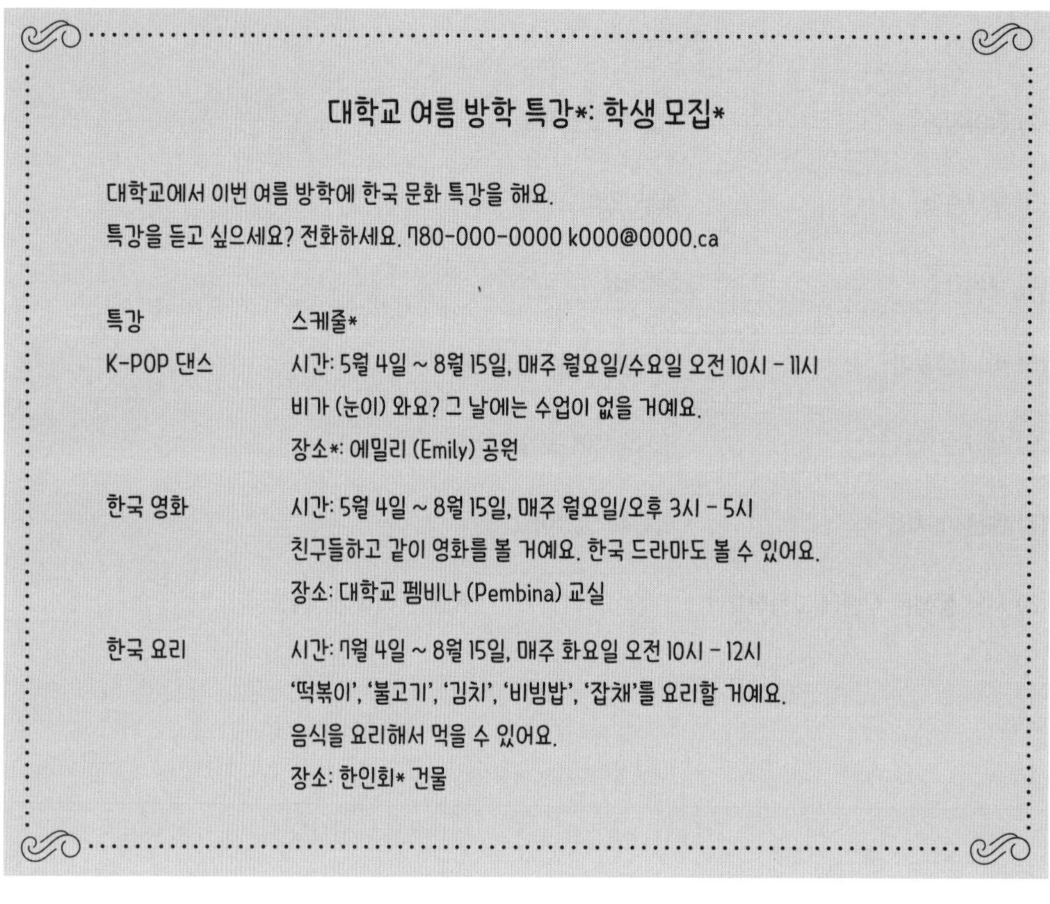

(1) ☐ 학생들이 방학에 특강을 들을 거예요.

(2) ☐ K-POP 댄스 수업은 밖에서 해요.

(3) ☐ 한국 요리 수업은 매일 있어요.

(4) ☐ 한국 영화 수업에서는 드라마를 안 볼 거예요.

(5) ☐ 한국 문화 특강은 모두 오전에 해요.

(6) ☐ 한국 음식을 요리하지만 먹을 수 없어요.

(7) ☐ 대학교 교실에서 영화를 볼 거예요.

2 **Read the following dialogue. Write 'B' in the right column, if the sentence is true for Ben's summer plans. Write 'L' if the sentence is true for Leah's summer plans. Write 'X' if the sentence is not true for both Ben and Leah's summer plans.**

벤	이번 여름 방학에 뭐 할 거예요?
리아	저는 수업을 들을 거예요. 벤은요?
벤	저는 미국에 있는 부모님 집에 갈 거예요. 리아는 이번 방학에 고향에 안 갈 거예요?
리아	네, 부모님이 많이 그립지만 저는 이번 방학에 에드먼턴에 있을 거예요.
벤	그럼, 방학에 수업만 들을 거예요?
리아	아니요, 저는 이번 방학에 일하고 싶어요. 그래서 7월에는 병원에서 일할 거예요. 벤은 미국에서 뭐 할 거예요?
벤	다행히 고향에 한국 친구가 많아요. 제 한국 친구들을 만나서 저는 한국어를 많이 연습하고 싶어요.
리아	미국에 비행기를 타고 갈 거예요?
벤	아니요, 부모님 집이 좀 멀지만 운전해서 갈 거예요.

(1) 부모님 집에 안 갈 거예요.	L	(2) 한국 친구가 많아요.	B
(3) 운전할 수 있어요.		(4) 병원에서 일할 거예요.	
(5) 부모님이 그리워요.		(6) 부모님 집에서 쉴 거예요.	
(7) 학교 친구들을 만날 거예요.	X	(8) 한국어를 연습하고 싶어요.	
(9) 비행기를 탈 거예요.		(10) 수업을 들을 거예요.	
(11) 부모님이 한국에 계세요.		(12) 커피숍에서 일할 거예요.	

3 Read the following narration and respond to the questions.

샤닐하고 리아는 이번 토요일 아침에 자전거를 타러 공원에 갈 거예요. 제니도 같이 가고 싶지만 갈 수 없어요. 제니는 토요일 아침에 한국 부채춤을 배우러 가요. 매주 토요일 아침에 부채춤 동아리*가 있어요. 제니는 필리핀* 사람이지만 한국 부채춤을 정말 배우고 싶어해요. 그래서 제니는 한국 부채춤 동아리에 다녀요. 부채춤은 부채를 가지고 춤을 추어요. 그래서 조금 어렵지만 아주 재미있어요. 제니는 부채춤을 열심히 연습해서 11월의 한국 문화 행사*에서 춤을 출 거예요. 한국 문화 행사*에 많은 사람들이 와서 제니의 춤을 볼 거예요. 제니는 춤을 아주 잘 출 거예요.

*동아리: club, *필리핀: the Philippines, 행사: event

(1) 제니는 이번 토요일 아침에 왜 공원에 갈 수 없어요?

(2) 제니는 뭘 배우고 싶어해요?

(3) 부채춤은 뭘 가지고 춤을 춰요?

(4) 부채춤은 어때요?

(5) 제니는 부채춤을 연습해서 뭐 할 거예요?

듣기 (Listening) & 쓰기 (Writing)

1 Listen to the question and select the most appropriate response.

(1) ① 차를 탈 거예요. ② 한국에 갈 거예요.
③ 집에서 청소할 거예요. ④ 피아노를 배울 거예요.

(2) ① 공원에 계실 거예요. ② 벤을 만나실 거예요.
③ 친구가 많으실 거예요. ④ 공원에 가실 거예요.

(3) ① 고향에 가고 싶어요. ② 집에서 자고 싶어요.
③ 모자를 갖고 싶어요. ④ 공원에 가고 싶어해요.

(4) ① 네, 학교에 가고 싶었어요 ② 아니요, 맑고 따뜻해요.
③ 네, 즐겁지만 좀 바빠요. ④ 아니요, 춤이 어렵지만 즐거워요.

(5) ① 즐거웠어요. ② 가까웠어요.
③ 그리웠어요. ④ 더웠어요.

2 Listen to the dialogue and select the true information.

(1) ① 서리나는 피아노를 배울 거예요. ② 선생님은 운전을 배우고 싶어하세요.
③ 서리나는 수업을 듣고 싶어해요. ④ 선생님은 피아노를 배우실 거예요.

(2) ① 오늘은 비가 와요. ② 오늘은 따뜻해요.
③ 어제는 맑았어요. ④ 어제는 따뜻했어요.

3 Listen to the dialogues and connect the days with the corresponding pictures.

월요일	화요일	내일	주말	수요일	목요일

4 Listen to the sentences and fill in the blanks.

(1) 오늘 날씨가 ________.

(2) 내일은 날씨가 ________.

(3) 서리나는 이번 ________ 뭐 할 거예요?

(4) 벤은 새 차를 ________.

(5) 자전거 ________?

(6) 시험이 ________ 잘 봤어요.

(7) 집이 ________ 차를 타고 ________.

(8) 저는 고향이 많이 ________.

5 Listen to the narration and fill in the blanks.

(1) ________ 에는 언니가 토론토에서 올 거예요. 요즘 언니하고 저는 많이 바빴어요.

그래서 자주 (2) ________. 언니는 내년에 대학원에 (3) ________.

언니는 (4) ________. 그래서 저도 운전을 (5) ________.

저는 이번 방학에 운전 학교에 (6) ________.

저는 내년에 (7) ________ 하나 사고 싶어요. 운전은 (8) ________.

(9) ________ 재미있을 거예요. 주말에 날씨가 (10) ________.

그래서 저는 언니하고 같이 (11) ________ 타러 갈 거예요.

6 **Listen to the dialogue between Ben and the teacher, and fill in the blanks with (T)rue or F(alse).**

(1) [ ] Ben went skating last weekend.

(2) [ ] The teacher will be busy this weekend.

(3) [ ] It will rain this weekend.

(4) [ ] Ben plans to go skating this weekend.

(5) [ ] The teacher can go to the Korean library next weekend.

7 **Listen to the narration and respond to the following questions.**

(1) 서리나는 지난 주말에 뭐 했어요?

[ ].

(2) 지난 주말 날씨가 어땠어요?

[ ].

(3) 서리나는 다음 주말에 어디에 갈 거예요?

[ ].

(4) 줄리아는 뭘 잘 해요?

[ ].

(5) 줄리아는 뭘 잘 못 해요?

[ ].

8 **Listen to the questions and write your own responses.**

(1) ______________________________ .

(2) ______________________________ .

(3) ______________________________ .

(4) ______________________________ .

(5) ______________________________ .

(6) ______________________________ .

(7) ______________________________ .

(8) ______________________________ .

(9) ______________________________ .

Workbook

무슨 영화를 볼 거예요?

단어 (Vocabulary)

1 **Listen and find the picture that corresponds to each word. Write the word below the corresponding picture.**

지하철 편지 음료수 가을 봄 딸기 기차 올해 이메일 숟가락 버스 장갑

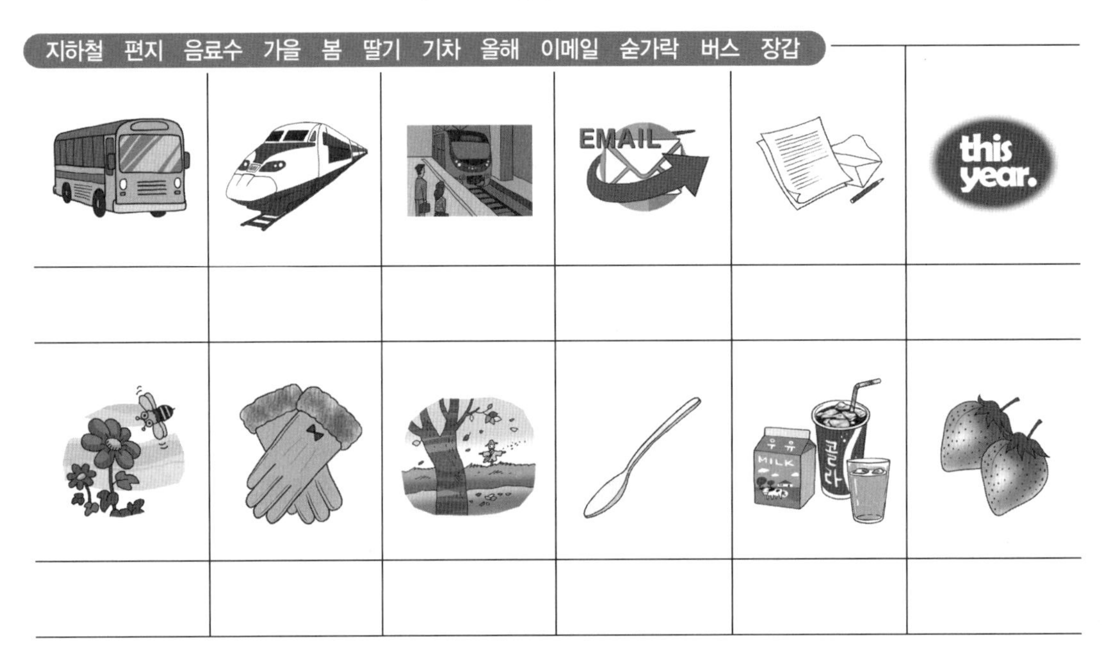

2 **Listen and find the picture that corresponds to each word. Write the word below the corresponding picture.**

사탕 간호학 나라 꽃 계절 말

3 **Listen and find the picture that corresponds to each word. Write the word below the corresponding picture.**

성함 저희 연세 나이 생신

4 **Listen and find the picture that corresponds to each word. Write the word below the corresponding picture.**

나오다 드리다 축하하다 준비하다 태어나다 걸리다 주무시다 죽다 돌아가시다 기뻐하다 받다 나가다

5 **Listen and find the picture that corresponds to each word. Write the word below the corresponding picture.**

뵈다 내다 자라다 보내다 유명하다

		EMAIL		

6 **Fill in the blanks with the appropriate Korean words that are related to each other.**

(1)	season ( ) spring ( ) summer ( ) fall ( ) winter ( )
(2)	chopsticks ( ) spoon ( )
(3)	last year ( ) this year ( ) next year ( )
(4)	to receive ( ) to send ( )
(5)	to die ( ) to be born ( )

7 **Complete the table with the corresponding honorific or humble expressions.**

Nouns	Honorific expressions	Pronouns	Humble expressions
생일	생신	나	
이름		우리	
나이			
집			
말			

8 Complete the table with honorific or humble words.

Polite form	Honorific expressions	Humble expressions
먹어요		No humble expressions
죽었어요		
자요		
있어요 (to be)		
있어요 (to have)		
봐요		
줘요		

9 Complete the table with honorific forms.

Kinds of particles	Plain	Honorific form
Subject particle	이/가	
Topic particle	은/는	
Goal particle	한테	
Source particle	한테서	

Lesson 1 Lesson 2 Lesson 3 Lesson 4 Lesson 5

문법 (Grammar)

1 Complete the table using -지요.

Dictionary form	Present form	Past form
가다	가지요?	
맑다		
먹다		
계시다		
쓰다		
걸리다		
보내다		
춥다		
기뻐하다		
살다		
듣다		

2 Fill in the blanks with the appropriate form of the predicate, using -지요.

(1) 오늘 월요일 [ ]? (이다)

(2) 오늘 한국어 시험이 [ ]? (있다)

(3) 어제 공부 많이 [ ]? (하다)

(4) 어제 커피 [ ]? (마시다)

(5) 기숙사에 [ ]? (살다)

(6) 커피가 [ ]? (맛있다)

(7) 방이 [ ]? (깨끗하다)

(8) 캐나다는 여름이 [ ]? (짧다)

(9) 오늘 날씨가 [ ]? (흐리다)

(10) 한국에서 [ ]? (태어나다)

3 Complete the following conversations with -지요.

(1) 예쁘다	A. 꽃이 ________________? B: 네, ________________.
 (2) 친하다	A: 형하고 ________________? B: 네, ________________.
 (3) 가깝다	A: 집에서 학교까지 ________________? B: 네, ________________.
 (4) 보다	A: 어제 영화 ________________? B: 네, ________________.
 (5) 유명하다	A: 저 여자는 ________________? B: 네, ________________.
Saturday SAT (6) 이다	A: 어제가 토요일 ________________? B: 네, ________________.

(7) 흐리다	A: 어제 날씨가 ______________? B: 네, ______________.
(8) 갖고 싶다	A: 새 차를 ______________? B: 네, ______________.

4 **Connect to an appropriate response in the right column, and fill the blanks using -지요, as in the example.**

(1) A: 오늘 아침에 늦게 일어났어요. •	• B: 야채를 싫어하지요? (싫어하다)
(2) A: 저는 한국에서 자랐어요. •	• B: 부모님이 [ ]? (보고 싶다)
(3) A: 어제 파티에 갔어요. •	• B: 방이 [ ]? (더럽다)
(4) A: 오늘도 샤닐을 만났어요. •	• B: 한국말을 잘 [ ]? (하다)
(5) A: 저는 야채를 자주 안 먹어요. •	• B: 어제 공부 열심히 [ ]? (하다)
(6) A: 오늘 집을 청소하고 싶어요. •	• B: 어제 늦게 [ ]? (자다)
(7) A: 지난 방학에 고향에 못 갔어요. •	• B: 샤닐하고 [ ]? (친하다)
(8) A: 시험을 잘 봤어요. •	• B: 어제 파티에서 [ ]? (즐겁다)

5 **Circle the appropriate question word.**

(1) A: [무슨, 어느] 운동을 자주 해요?	B: 스케이트를 자주 타요.
(2) A: [무슨, 어느] 나라에서 태어났어요?	B: 캐나다에서 태어났어요.
(3) A: 어제 [무슨, 어느] 영화를 봤어요?	B: 코메디 영화를 봤어요.
(4) A: [무슨, 어느] 선물을 받았어요?	B: 꽃하고 카드를 받았어요.
(5) A: [무슨, 어느] 과일을 자주 먹어요?	B: 사과를 자주 먹어요.

(6) A: [무슨, 어느] 학교에 다녀요? B: 서울대학교에 다녀요.
(7) A: [무슨, 어느] 식당이 유명해요? B: 서울식당이 유명해요.
(8) A: [무슨, 어느] 옷을 입을 거예요? B: 드레스를 입을 거예요.
(9) A: [무슨, 어느] 건물에 선생님이 계세요? B: 토리 건물에 계세요.
(10) A: [무슨, 어느] 가수를 좋아하세요? B: BTS를 좋아해요.

6 They are asking questions to Leah. Complete the dialogues.

(1)  ______ 나라 말을 잘 해요? • ______을/를 잘 해요.

(2)  ______ 수업을 들어요? • ______ 수업을 들어요.

(3)  ______ 요일에 수업이 있어요? • ______에 수업이 있어요.

(4)  ______ 계절에 태어났어요? • ______에 태어났어요.

(5)  ______ 선물을 보냈어요? • ______을/를 보냈어요.

(6)  ______ 음식을 자주 먹어요? • ______을/를 자주 먹어요.

(7)  ______ 과일을 좋아해요? • ______을/를 좋아해요.

7 Select a word from the box and complete the table using -(으)로.

차 자전거 기차 지하철 걸어서 버스 비행기

차로				걸어서		

8 Connect the three elements and make sentences, using -을/를 and -(으)로.

____ 을/를	____ 으/로	Verb
(1) 이름 ( )	• 유튜브(Youtube) ( )	• 공부해요
(2) 영화 ( )	• 연필 ( )	• 먹어요
(3) 스파게티 (spaghetti) ( )	• 컴퓨터 ( )	• 해요
(4) 게임 (Game) ( )	• 포크 (Fork) ( )	• 봐요
(5) 한국어 ( )	• 교과서 ( )	• 써요

9 Fill in the blanks with the appropriate particle provided in the box. You can use a particle more than once.

(으)로 까지 에 에서

(1) A: 보통 어디 [   ] 공부해요?

B: 보통 기숙사 [   ] 공부해요.

(2) A: 집 [   ] 학교 [   ] 얼마나 걸려요?

B: 버스 [   ] 40분쯤 걸려요.

(3) A: 백화점 [   ] 어떻게 가요?

B: 지하철 [   ] 가요.

(4) A: 보통 집 ☐ 몇 시 ☐ 나와요?

B: 아침 8시 30분 ☐ 나와요.

(5) A: 지난 방학 ☐ 어디 갔어요?

B: 록키산 (Rocy mountain) ☐ 갔어요.

A: 록키산 ☐ 뭐 했어요?

B: 친구 다섯 명하고 같이 캠핑했어요.

10 Fill in the blanks with 에 or 에서

(1) 저는 어제 도서관 ☐ 갔어요.

(2) 저는 어제 친구 집 ☐ 잤어요.

(3) 저는 도서관 ☐ 전화했어요.
(I called the library.)

(4) 도서관 ☐ 전화 왔어요.
(I got a call from the library.)

(5) 저는 어제 도서관 ☐ 있었어요.

(6) 선생님은 집 ☐ 계세요.

(7) 저는 집 ☐ 공부해요.

(8) 오늘 한국 ☐ 가요.

(9) 우체국 ☐ 편지를 보내요.

(10) 캐나다 ☐ 자랐어요.

(11) 집 ☐ 학교까지 30분 걸려요.

(12) 라디오 ☐ 음악을 들었어요.

(13) 인터넷 (Internet) ☐ 옷을 샀어요.

(14) 어느 학교 ☐ 다녔어요?

(15) 페이스북 (Facebook) ☐ 그 사람을 봤어요.

(16) 유튜브 (Youtube) ☐ 한국 음식을 배웠어요.

11 Determine whether the following verbs require either 한테 or 한테서.

(1) 벤 ☐ 줘요

(2) 벤 ☐ 받아요

(3) 벤 ☐ 배워요

(4) 벤 ☐ 가르쳐요

(5) 벤 [ ] 전화해요　　(6) 벤 [ ] 전화 왔어요

(7) 벤 [ ] 들었어요　　(8) 벤 [ ] 얘기해요

12 Fill in the blanks with 한테 or 한테서

(1) 나는 어제 친구 [ ] 선물을 주었어요.

(2) 나는 어제 친구 [ ] 선물을 받았어요.

(3) 나는 어제 친구 [ ] 한국어를 가르쳤어요.

(4) 나는 어제 친구 [ ] 한국어를 배웠어요.

(5) 나는 어제 친구 [ ] 전화했어요.

(6) 어제 마이클 [ ] 전화 왔어요.

(7) 나는 어제 친구 [ ] 한국어로 얘기했어요.

(8) 나는 어제 친구 [ ] 이야기를 들었어요.

13 Make sentences with the following words, as in the example.

(1)		동생/선물/주다 동생한테 선물을 주었어요.
(2)		여자 친구/꽃/보내다 ______________________.

(3)	언니/전화/오다 _______________________________.
(4)	친구/이야기/듣다 _______________________________.
(5)	선생님/한국어/배우다 _______________________________.
(6)	선생님/편지/쓰다 _______________________________.
(7)	산타 할아버지 (Santa)/선물/받다 _______________________________.

14 **Fill in the blanks with 에, 에서, 한테, 한테서, or 께.**

(1) 동생 [ ] 편지를 줬어요.

(2) 부모님 [ ] 전화했어요.

(3) 친구 [ ] 소설 책을 받았어요.

(4) 서울 [ ] 전화 자주 해요.

(5) 김 선생님 [ ] 한국어를 배워요.

(6) 마이클 [ ] 한국어를 가르쳤어요.

(7) 친구 [ ] 편지를 썼어요.

(8) 어머니 [ ] 선물을 드렸어요.

(9) 오빠 [ ] 갔어요.

(10) 집 [ ] 전화 자주 해요.

(11) 형 [ ] 전화 왔어요.

(12) 언니 [ ] 자주 이메일 보내요.

(13) 어제 학교 [ ] 갔어요.

(14) 줄리아, 집 [ ] 전화 왔어요.

(15) 언니 [ ] 전화했어요.

(16) 4시에 친구 집 [ ] 나왔어요.

(17) 줄리아 [ ] 들었어요.

(18) 어제 부모님 [ ] 전화했어요.

15 Fill in the blanks with either -께, -께서, -한테, or -한테서.

(1) 크리스마스에 부모님 [ ] 저 [ ] 선물을 주셨어요.

(2) 오늘 저는 어머니 [ ] 전화했어요.

(3) 저는 할머니 [ ] 그 이야기를 들었어요.

(4) 오빠 [ ] 전화 받았어요?

(5) 선생님 [ ] 학생들 [ ] 한국어를 가르치셨어요.

(6) 서리나는 부모님 [ ] 편지를 보냈어요.

(7) A: 어디 가요? B: 언니 [ ] 가요.

16 Fill in the blanks with the honorific expressions.

(1) 서리나가 책을 읽어요. → 선생님 [ ] 책을 [ ].

(2) 서리나는 캐나다 사람이에요. → 선생님 [ ] 한국 사람 [ ].

(3) 동생이 선물을 주었어요. → 아버지 [ ] 선물을 [ ].

(4) 벤이 아침을 먹었어요. → 선생님 [ ] 아침을 [ ].

(5) 벤은 학교에 있어요. → 선생님 [ ] 학교에 [ ].

(6) 벤이 집에 왔어요. → 아버지께서 집에 ______.

(7) 벤이 잘 지내요. → 할머니께서 잘 ______.

(8) 벤이 방에서 자요. → 아버지께서 방에서 ______.

(9) 고양이가 죽었어요. → 할아버지께서 ______.

(10) 저는 캐나다에서 태어났어요. → 어머니께서는 캐나다에서 ______.

17 Change the following sentences into the honorific expressions.

(1) 서리나 집이 어디예요? → 선생님 ______?

(2) 친구의 이름이 뭐예요? → 선생님 ______?

(3) 언니 말을 잘 들어요? → 부모님 ______?

(4) 서리나 생일이 언제예요? → 부모님 ______?

(5) 형은 나이가 많아요? → 할아버지 ______?

18 Fill in the blanks with the appropriate form of 주다.

(1) 어제 어머니께서 줄리아한테 돈을 ______.

(2) 어제 내가 친구한테 빵을 ______.

(3) 어제 나는 할머니께 책을 ______.

(4) 어제 선생님께서 아버지께 편지를 ______.

19 **Look at the picture and make dialogues with your partner as in the example.**

A: 서리나가 누구한테 편지를 줬어요?

B: 서리나가 선생님께 편지를 드렸어요.

(1)	A: ______________________? B: ______________________.
(2)	A: ______________________? B: ______________________.
(3)	A: ______________________? B: ______________________.
(4)	A: ______________________? B: ______________________.

20 **Fill the blanks with appropriate honorific or humble expressions.**

(1) 나는 학생이에요. → 선생님, [　　] 학생이에요.

(2) 우리는 학생이에요. →선생님, [　　] 학생이에요.

(3) 그건 내 책상이에요. → 선생님, 그건 [　　] 책상이에요.

(4) 그건 우리 책상이에요. → 선생님, 그건 [　　] 책상이에요.

(5) 어제 동생이 벤을 [　　]. (보다)

(6) 어제 할머니께서 벤을 [　　　]. (보다)

(7) 어제 동생이 할머니를 [　　　]. (보다)

(8) 어제 동생이 벤한테 사탕을 [　　　]. (주다)

(9) 어제 할머니께서 벤한테 사탕을 [　　　]. (주다)

(10) 어제 동생이 할머니 [　　　] 사탕을 [　　　]. (주다)

(11) 어제 할머니께서 사탕을 [　　　]. (먹다)

21 **Make full sentences using the given components.**

(1)	동생 / 어머니 / 꽃 / 주다 어제 ______________________.
(2)	할아버지 / 할머니 / 선물 / 주다 어제 ______________________.
(3)	할머니 / 서리나 / 전화하다 어제 ______________________.
(4)	할아버지 / 집 / 있다 어제 ______________________.

(5)	아버지 / 아침 / 먹다 어제 ______________________________.
(6)	할아버지 / 소파 (sofa) / 자다 어제 ______________________________.
(7)	서리나 / 연구실 / 선생님 / 보다 어제 ______________________________.
(8)	우리 / 선생님 / 이름 / 김유나 선생님 / 이다 ______________________________.

읽기 (Reading) & 쓰기 (Writing)

1 **Read the text and write T(rue) or F(alse) to each sentence according to the content of the text. Please use a dictionary for the new vocabulary that is indicated with the sign *.**

한국 드라마* '시그널 (Signal)' - 최고*의 스릴러*

여러분*은 무슨 드라마를 좋아하세요? 저는 오늘 한국의 드라마 이야기를 하고 싶어요. 이 드라마는 스릴러 이야기예요. 드라마에서 '조진웅'은 과거*에 살고 '이재훈'은 '현재*'에 살아요. '조진웅'이 '이재훈'한테 무전기*로 메시지*를 보냈어요. 그렇지만 두 사람은 만날 수 없었어요. 두 사람은 아주 멋있었고 드라마 노래도 좋았어요. 처음에는 이야기가 조금 어려웠어요. 그렇지만 나중에는 이야기가 정말 재미있었어요.

(1) ☐ It is talking about an actual accident that happened in Korea.

(2) ☐ This drama is a romance story.

(3) ☐ The writer liked the two actors in the drama.

(4) ☐ In the drama, the two actors met each other.

(5) ☐ The actors were good at singing.

(6) ☐ The story was a little difficult at the beginning.

2 Read the following dialogue and circle the appropriate words in the sentences below.

샤닐	제니, 지난 주말에 뭐 했어요?
제니	아주 바빴어요. 지난 토요일이 아버지 생신이었어요.
샤닐	아버지 연세가 어떻게 되세요?
제니	54이세요.
샤닐	그래요? 아버지께 선물 드렸어요?
제니	네, 어머니께서는 아버지께 모자를 드렸고 제 동생은 지갑을 드렸어요. 그리고 저는 꽃을 드렸어요. 아버지께서는 아주 기뻐하셨어요.
샤닐	아버지 고향은 어디세요?
제니	제 아버지께서는 필리핀*에서 태어나서 자라셨어요. 그리고 25살에 결혼해서 캐나다에 오셨어요.
샤닐	그럼, 할아버지하고 할머니께서는 필리핀에 계세요?
제니	아니요, 할아버지께서는 작년에 돌아가셨어요. 그리고 할머니께서는 에드먼턴에 계세요.
샤닐	아버지 생신에 할머니도 뵈었어요?
제니	네, 가족이 모두 할머니 댁에 갔어요. 그리고 할머니 댁에서 음식을 많이 먹었어요.

*필리핀: the Philippines

(1) (지난, 이번, 다음) (금요일, 토요일, 일요일)이 아버지 생신이었어요.

(2) 아버지께서는 (스물 두, 스물 다섯, 마흔 네, 마흔 아홉, 쉰 두, 쉰 네) 살에 결혼하셨어요.

(3) 제니는 아버지께 (꽃, 편지, 장갑, 지갑, 카드, 모자)을/를 드렸어요.

(4) 제니 아버지께서는 (한국, 일본, 중국, 필리핀, 캐나다, 미국)에서 태어나서 자라셨어요.

(5) 제니 할아버지께서는 (작년, 올해, 내년)에 돌아가셨어요.

(6) 제니 할머니께서는 지금 (밴쿠버, 토론토, 에드먼턴, 서울, 필리핀)에 계세요.

(7) 제니 가족은 아버지 생신에 (식당, 공원, 파티, 할머니 댁, 부모님 집, 기숙사)에 갔어요.

3 Read the narration and answer to the questions.

샤닐은 대학교에서 공학*을 전공해요. 샤닐 부모님은 인도* 사람이시지만, 샤닐은 캐나다에서 태어나서 자랐어요. 샤닐은 에드먼턴에서 부모님하고 살아요. 샤닐은 형이 한 명 있어요. 어제는 샤닐 아버지 생신이었어요. 올해 샤닐 아버지 연세가 52이세요. 어제 샤닐 가족은 아버지 생신을 축하하러 한국 식당에 갔어요. 집에서 한국 식당까지 차로 30분쯤 걸렸어요. 샤닐은 한국 식당에서 저녁도 먹고 아버지하고 이야기도 많이 했어요. 샤닐은 아버지께 생신 선물도 준비했어요. 샤닐은 아버지께 카드하고 케이크를 드렸어요. 형은 아버지께 꽃을 드렸어요. 아버지께서는 많이 기뻐하셨어요. 그리고 한국 음식도 많이 드셨어요.

* 공학: engineering, 인도: India

(1) 샤닐은 어디서 자랐어요?

______________________.

(2) 어제는 무슨 날이었어요?

______________________.

(3) 어제 샤닐 가족은 왜 한국 식당에 갔어요?

______________________.

(4) 샤닐은 아버지께 뭘 드렸어요?

______________________.

(5) 집에서 한국 식당까지 얼마나 걸려요?

______________________.

듣기 (Listening) & 쓰기 (Writing)

1 **Listen and select the most appropriate response which would come after this dialogue.**

(1) ① 네, 파티에 갈 거예요. ② 네, 케이크를 받았어요.
③ 네, 꽃을 줄 거예요. ④ 네, 생일이 다음 주 토요일이에요.

(2) ① 그래요? 몰랐어요. ② 그래요? 생일 파티에 가요?
③ 그래요? 10월 23일이에요. ④ 그래요? 생일 파티할 거예요?

(3) ① 지하철로 가요. ② 차로 한 시간 걸려요.
③ 걸어서 사십 분 걸려요. ④ 십 분 걸려요.

(4) ① 서울 영화관에 갈 거예요. ② 코메디 영화 볼 거예요.
③ 친구하고 갈 거예요. ④ 저는 영화 싫어해요.

(5) ① 야채가 없어요. ② 야채가 싸요.
③ 야채를 사요. ④ 야채가 많아요.

2 **Listen to the short dialogue and choose the true sentence based on the dialogue.**

(1) ① 벤은 지금 미국에 살아요. ② 어제가 벤 어머니 생신이었어요.
③ 벤은 지금 백화점에 가요. ④ 벤 어머니는 에드먼턴에 계세요.

(2) ① 서리나는 혼자 백화점에 갈 거예요. ② 서리나는 장갑을 살 거예요.
③ 집에서 백화점까지 안 멀어요. ④ 백화점에 버스로 갈 거예요.

(3) ① 오늘은 월요일이에요. ② 벤은 어제 어머니께 전화했어요.
③ 어머니 생신은 화요일이에요. ④ 지금 벤은 전화할 거예요.

3 **Listen to the dialogues and circle the correct words in the blanks.**

(1) 제니 집은 조금 (멀어요, 가까워요).
(2) 제니는 학교에 (걸어서, 지하철로, 버스로, 자전거로) 가요.
(3) 제니 집에서 학교까지 (10 분, 20 분, 30 분, 40 분, 1 시간)쯤 걸려요.
(4) 준은 학교에 보통 (걸어서, 지하철로, 버스로, 자전거로) 가요.
(5) 준 집에서 학교까지 (1 분, 5 분, 10 분, 15 분, 30 분, 45 분, 1 시간) 걸려요.
(6) 준은 오늘 (걸어서, 지하철로, 버스로, 자전거로) 학교에 왔어요.
(7) 오늘은 날씨가 (맑아요, 흐려요, 따뜻해요, 추워요, 더워요).

4 Listen to the sentences and fill in the blanks.

(1) 생일 [ ].

(2) 할아버지 연세가 [ ] [ ]?

(3) 친구 [ ] [ ] [ ] 을/를 받았어요.

(4) [ ] 영화를 볼 거예요?

(5) 치마가 너무 [ ]?

(6) [ ] [ ] 을 좋아하세요?

(7) 제 아버지께서는 한국에서 [ ] 자라셨어요.

(8) 학교에 [ ] 와요.

(9) 할아버지 [ ] 아침을 [ ].

(10) 저는 밥을 [ ] 먹어요.

5 Listen to the dialogue between Ben and the teacher, and fill in the blanks with (T)rue or F(alse).

(1) [ ] 서리나는 오늘 식당에 갈 거예요.

(2) [ ] 서리나는 벤의 생일을 준비했어요.

(3) [ ] 벤의 생일은 목요일이었어요.

(4) [ ] 벤은 식당에서 생일 파티를 했어요.

(5) [ ] 벤은 생일에 꽃하고 장갑을 받았어요.

6 Listen to the narration and answer the following questions.

(1) 우리 가족이 지난 주말에 뭐 했어요?

[ ].

(2) 우리 집에서 할머니 댁까지 얼마나 걸려요?

[ ].

(3) 할머니께서 어디서 태어나셨어요?

.

(4) 나는 할머니께 뭘 드렸어요?

.

(5) 왜 할머니께서 많이 웃으셨어요?

.

7 **Listen to the questions and write your own answers to them.**

(1) .

(2) .

(3) .

(4) .

(5) .

(6) .

(7) .

(8) .

(9) .

(10) .

(11) .

(12) .

Workbook

제 고향은 서울이에요

단어 (Vocabulary)

1 Listen and find the picture that corresponds to each word. Write the word below the corresponding picture.

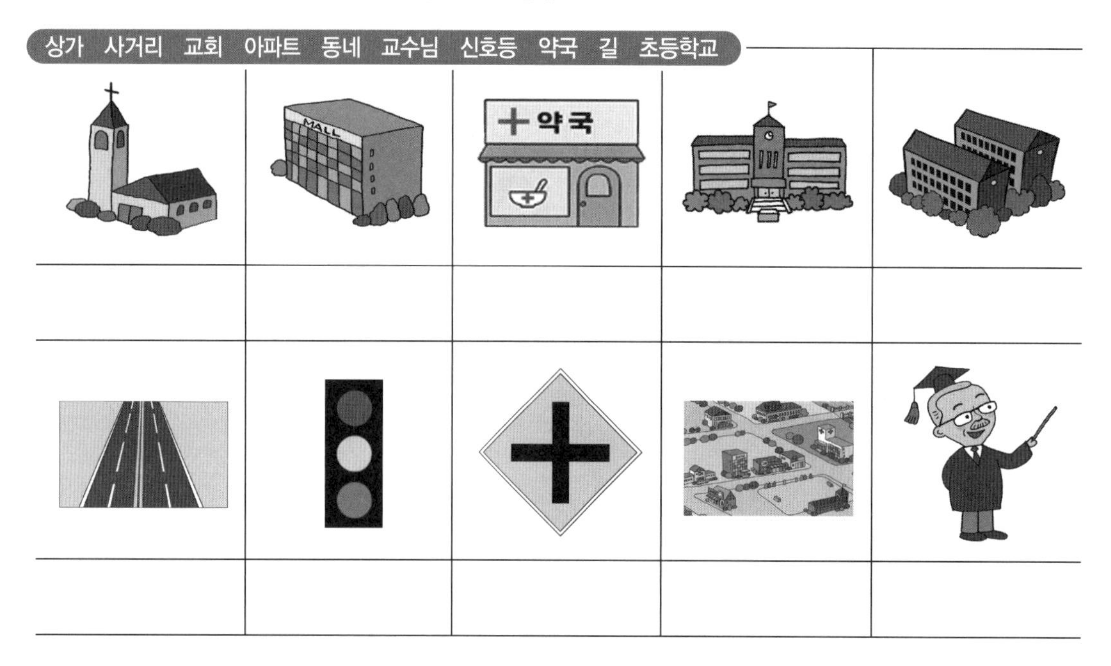

2 Listen and find the picture that corresponds to each word. Write the word below the corresponding picture.

사진 교통 지하철역 여기 근처 초등학생 오른쪽 왼쪽 날 건너편 전망 도시

GOOD DAY

오늘은 좋은 ___이에요.

near

HERE

3 **Listen and find the picture that corresponds to each word. Write the word below the corresponding picture.**

돌다 찍다 구경하다 보이다 열다 내리다 묻다 방문하다 놀다 지나다

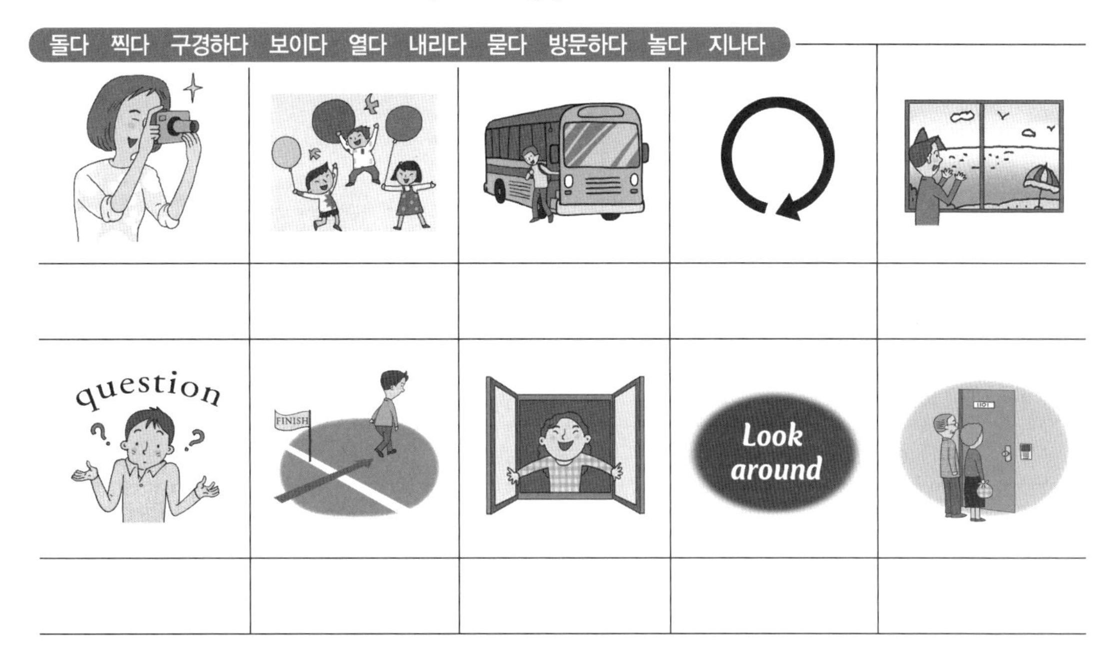

4 **Listen and find the picture that corresponds to each word. Write the word below the corresponding picture.**

길다 건너다 복잡하다 뵙다 편리하다 짧다

Lesson 1 Lesson 2 Lesson 3 Lesson 4 Lesson 5

문법 (Grammar)

1 Look at the table and answer the questions, using the frequency expressions.

벤	Sometimes	Sometimes	Never	Every day	Every day
서리나	Every day	Often	Every day	Sometimes	Every day
알렉스	Every day	Often	Sometimes	Rarely	Every day
마크	Never	Never	Never	Every day	Rarely

(1) 벤이 자주 청소해요? 아니요, 가끔 청소해요.

(2) 벤이 매일 목욕해요? ______.

(3) 서리나가 자주 청소해요? ______.

(4) 알렉스가 자주 닭고기 먹어요? ______.

(5) 마크가 자주 산책해요? ______.

(6) 마크가 자주 닭고기 먹어요? ______.

2 In the first blank, write the frequency of your action, and, in the second blank, write 안 if you need it.

매일 가끔 자주 거의 전혀

(1) 저는 거의 영화관에 안 가요.

(2) 저는 ______ 마트에 ______ 가요.

(3) 저는 ______ 운동 ______ 해요.

(4) 저는 ______ 잡지를 ______ 봐요.

(5) 저는 [　　　] 아침을 [　　　] 먹어요.

(6) 저는 [　　　] 물을 [　　　] 마셔요.

(7) 저는 [　　　] 설거지를 [　　　] 해요.

(8) 저는 [　　　] 신문을 [　　　] 읽어요.

(9) 저는 [　　　] 부모님하고 같이 아침을 [　　　] 먹어요.

(10) 저는 [　　　] 샐러드를 [　　　] 먹어요.

(11) 저는 [　　　] 일찍 [　　　] 자요.

3 Write down the noun-modifying form of each adjective as shown in the example.

Dictionary form	Noun-modifying form	Dictionary form	Noun-modifying form
짧다	짧은 연필	맑다	________ 날
크다	________ 도시	재미없다	________ 이야기
바쁘다	________ 언니	흐리다	________ 날
좁다	________ 방	귀엽다	________ 동생
그립다	________ 친구	따뜻하다	________ 옷
덥다	________ 곳	맛있다	________ 음식
즐겁다	________ 시간	편리하다	________ 교통

❹ Change the following sentences as in the example.

동네가 예뻐요	도시가 커요	전망이 좋아요
예쁜 동네		
강아지가 귀여워요	딸기가 맛있어요	교통이 복잡해요
버스가 편리해요	날씨가 추워요.	지하철역이 가까워요

❺ Choose the appropriate words and fill in the blanks with their noun-modifying forms.

좋다 어렵다 가깝다 비싸다 넓다 좁다 춥다
덥다 바쁘다 재미있다 맛있다 크다 많다

(1) 그는 바쁜 사람이에요.

(2) 어제는 ______ 날이었어요.

(3) 오늘 나는 아주 ______ 영화를 볼 거예요.

(4) 파티에 아주 ______ 사람이 올 거예요.

(5) 오늘 우리는 [ ] 음식을 만들 거예요.

(6) 정말 [ ] 드레스예요.

(7) 우리 대학교에는 [ ] 체육관이 있어요.

(8) [ ] 방에서 5명이 잤어요.

(9) 정말 [ ] 날씨예요.

(10) [ ] 날씨에는 수영을 하세요.

(11) 여기 [ ] 가게가 어디 있어요?

(12) 정말 [ ] 시험이었어요.

6 Complete the table below using the suggested predicates.

Dictionary form	−어/아요	−었/았/ㅆ어요	−을/ㄹ 거예요	−(으)세요
알다			알 거예요	
놀다		놀았어요		
열다				
돌다				
멀다				
길다				
말다		----------	----------	

7 Fill in the blanks using the predicates in the above table.

(1) 초등학생들은 보통 공원에서 놀아요.
(Elementary school students usually play at the park.)

(2) 밤에는 책을 읽지 [ ].
(Please don't read book at night.)

(3) 우리 집은 학교에서 [ ].
(Our house is far from school.)

Lesson 1 Lesson 2 Lesson 3 Lesson 4 Lesson 5

(4) 선생님께서 오후 1시에 교실 문을 [   ].
(The teacher will open the classroom door at 1 pm.)

(5) 신호등에서 왼쪽으로 [   ].
(Please turn to the left at the traffic light.)

(6) 기차가 아주 [   ].
(The train is very long.)

(7) 선생님, 서리나를 [   ]?
(Teacher, do you know Cerina?)

8 **Complete the table using the modifying form.**

Verb	Modifying form	Verb	Modifying form
가다	내가 ( ) 곳	찍다	케빈이 ( ) 사진
건너다	학생들이 ( ) 길	뵙다	부모님을 ( ) 날
듣다	리아가 ( ) 음악	앉다	선생님이 ( ) 의자
'ㄹ' Irregular verbs	Verb stem + 는 ('ㄹ' is omitted)	'ㄹ' Irregular adjectives	Adjective + 은/ㄴ ('ㄹ' is omitted)
살다	내가 ( ) 집	멀다	집이 ( ) 학생
열다	문을 ( ) 가게	길다	머리가 ( ) 여자

9 **Fill out the blanks with the proper noun-modifying form.**

(1) 김 선생님은 한국어를 [   ] 선생님이세요. (가르치다)

(2) 한국어 반 학생은 한국어를 [   ] 학생이에요. (배우다)

(3) 가수는 노래를 잘 [   ] 사람이에요. (하다)

(4) 댄서 (dancer)는 [   ] 사람이에요. (춤추다)

(5) 테니스 선수 (tennis player)는 테니스를 잘 [   ] 사람이에요. (치다)

(6) 수영 선수는 수영을 잘 [   ] 사람이에요. (하다)

(7) 텔레비전을 [   ] 사람은 제 언니예요. (보다)

(8) 백화점 앞에서 [   ] 사람은 제 친구예요. (기다리다)

(9) 신문을 [   ] 분은 제 어머니세요. (읽다)

10 Look at the pictures and complete the sentences using the words in the box.

벤	우리 어머니	제 동생	우리 누나	우리 삼촌

내리다　열다　건너다　찍다　나오다

(1) 저 상가 앞에서 길을 건너는 사람은 벤이에요.

(2) 창문을 [   ].

(3) 버스에서 [   ].

(4) 지금 방에서 [   ].

(5) 저기서 사진을 [   ].

Lesson 1 Lesson 2 Lesson 3 Lesson 4 Lesson 5

11 Complete the sentences using the given words as in the example.

(1)	벤 / 좋아하다 / 운동 / 테니스 벤이 좋아하는 운동은 테니스예요.
(2)	지금 / 도서관 / 나오다 / 사람 /서리나 지금 도서관에서 ____________________.
(3)	서울 / 교통 / 편리하다 / 도시 서울은 ____________________.
(4)	학교 / 학생들 / 수업 / 듣다 / 곳 학교는 ____________________.
(5)	할아버지 / 드시다 / 것 / 아이스크림 할아버지께서 ____________________.
(6)	내일 / 쉬다 / 날 내일은 ____________________.

12 **Fill in the blanks with 여기, 거기, 저기, 여기서, 거기서, 저기서, 여기로, 거기로, or 저기로.**

벤: (1) [   ] 가 서리나 기숙사 방이에요? (is this place Cerina's dormitory room?)

리아: 네. (2) [   ] 앉으세요. (Please sit here.)

벤: 서리나는 어디 있어요?

리아: 서리나는 은행에 갔어요. 곧 올 거예요. (3) [   ] 기다리세요. (Please wait here.)

벤: 여기서 은행이 가까워요?

리아: 네, (4) [   ] 오세요. (Come this way.)

(Leah is taking Ben to the window.)

(5) [   ] 를 보세요. 섭 빌딩이 보이죠? (Look over there.)

벤: 네, 보여요.

리아: (6) [   ] 은행이 있어요. (There is a bank over there.)

13 **Look at the picture and complete the dialogue with '에', '에서', '(으)로'.**

A: (1) 저, 이 근처 [   ] 지하철역이 어디 있어요?

B: (2) 이 길 [   ] 쭉 가세요. 그럼 사거리가 보일 거예요.

(3) 사거리 [   ] 왼쪽 [   ] 도세요.

(4) 그럼 왼쪽 [   ] 상가 건물이 있어요.

(5) 그리고 상가 건물 옆 [   ] 약국이 있어요.

(6) 지하철역은 그 약국 건너편 [   ] 있어요.

14 **Look at the pictures and select one noun from the box. And create sentences using the particle, 으로 or 에서, as in the example.**

이 쪽　왼쪽　오른쪽　약국　버스　사거리

(1)	가다 이 쪽으로 가세요. (Go this way)
(2)	가다 ____________________. (Go to the right.)
(3)	돌다 ____________________. (Turn to the left.)
(4)	내리다 ____________________. (Get off the bus.)
(5)	건너다 ____________________. (Cross at the intersection.)
(6)	오다 ____________________. (Come to the pharmacy.)

15 Complete the following short dialogues as in the example.

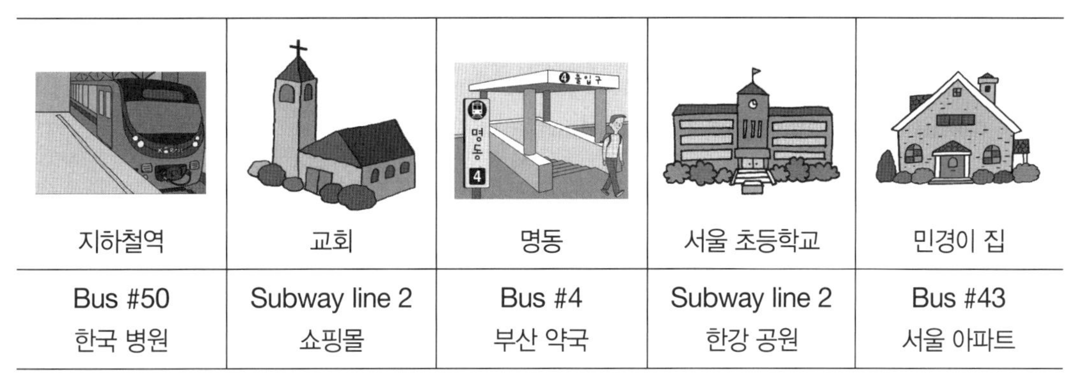

지하철역	교회	명동	서울 초등학교	민경이 집
Bus #50 한국 병원	Subway line 2 쇼핑몰	Bus #4 부산 약국	Subway line 2 한강 공원	Bus #43 서울 아파트

(1) A: 여기서 가까운 지하철역까지 어떻게 가요?

B: 50번 버스를 타고 한국 병원 앞에서 내리세요.

(2) A: 여기서 가까운 교회까지 어떻게 가요?

B: ＿＿＿＿ 타고 ＿＿＿＿ 앞에서 내리세요.

(3) A: 여기서 명동까지 어떻게 가요?

B: ＿＿＿＿ 타고 ＿＿＿＿ 앞에서 내리세요.

(4) A: 여기서 서울 초등학교까지 어떻게 가요?

B: ＿＿＿＿＿＿＿＿.

(5) A: 여기서 민경이 집까지 어떻게 가요?

B: ＿＿＿＿＿＿＿＿.

읽기 (Reading) & 쓰기 (Writing)

1 **Read the dialogue. A woman is looking for places. Find and write the name of the places in the blanks.**

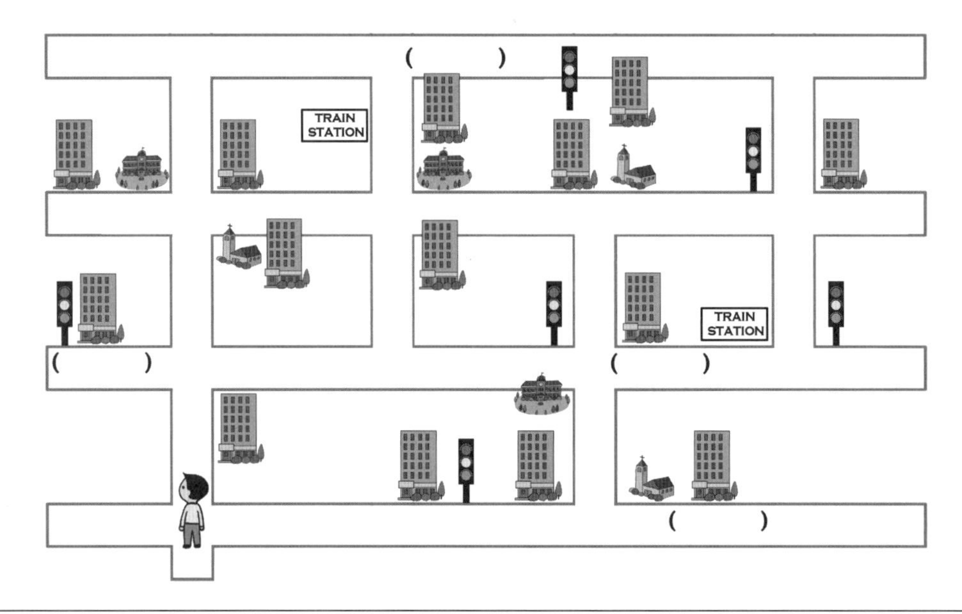

(1) 여자: 실례지만 말씀 좀 묻겠습니다. 이 근처에 도서관이 어디 있어요?
벤: 저기 사거리가 보이지요? 거기서 왼쪽으로 도세요. 그리고 쭉 가세요. 그럼 신호등이 보일 거예요. 도서관은 신호등 옆에 있어요.

(2) 여자: 실례지만 말씀 좀 묻겠습니다. 이 근처에 커피숍이 어디 있어요?
벤: 저기 교회가 보이지요? 거기서 오른쪽으로 도세요. 그리고 쭉 가세요. 그럼 사거리가 보일 거예요. 거기서 왼쪽으로 도세요. 그럼, 지하철역이 보일 거예요. 커피숍은 지하철역 건너편에 있어요.

(3) 여자: 실례지만 말씀 좀 묻겠습니다. 이 근처에 우체국이 어디 있어요?
벤: 저기 사거리가 보이지요? 거기서 오른쪽으로 도세요. 그리고 쭉 가세요. 그럼 신호등이 보일 거예요. 거기서 왼쪽으로 도세요. 우체국은 신호등 건너편에 있어요.

(4) 여자: 실례지만 말씀 좀 묻겠습니다. 이 근처에 서점이 어디 있어요?
벤: 저기 사거리가 보이지요? 거기서 오른쪽으로 도세요. 그리고 쭉 가세요. 그럼 학교가 보일 거예요. 거기서 오른쪽으로 도세요. 그리고 쭉 가세요. 그럼, 교회가 보일 거예요. 서점은 교회 옆에 있어요.

2 **Read Shanil's email and answer the questions. (1)-(4) Select the appropriate words and fill in the blanks.**

내리세요　걸려요　보일 거예요　타세요

안녕하세요? 벤.

이번 토요일 오후 5시에 우리 집에서 파티를 할 거예요.

우리 집 주소(address)는 52000-113Street예요.

대학교에서 지하철을 (1) ________________. 그리고 사우스게이트 (Southgate)역에서

(2) ________________. 그럼 오른쪽에 큰 쇼핑몰이 (3) ________________.

그 쇼핑몰 건너편에 '티마튼' 커피숍이 있어요. 우리 집은 그 커피숍 뒤에 있어요. 쇼핑몰에서 우리 집까지 걸어서 10분쯤 (4) ________________.

그럼, 토요일에 봐요.

Write T(rue) or F(alse) in the blank based on the above email letter.

(5) ☐ 커피숍은 지하철역 근처에 있어요.

(6) ☐ 쇼핑몰은 커피숍 건너편에 있어요.

(7) ☐ 샤닐 집은 대학교에서 10분 걸려요.

(8) ☐ 샤닐은 학교에 걸어서 가요.

(9) ☐ 샤닐 집은 쇼핑몰에서 가까워요.

3 Read the narration and answer to the questions.

저는 샤닐이에요. 제 고향은 에드먼턴이에요. 에드먼턴은 캐나다에 있는 큰 도시예요. 저는 에드먼턴에서 태어나서 자랐어요. 에드먼턴에는 상가도 많고 유명한 곳들도 여러 군데 있어요. 저는 에드먼턴에서 부모님하고 동생하고 같이 살아요. 제 누나는 작년에 결혼해서 지금은 밴쿠버에 살아요. 저희 집 근처에는 큰 상가가 있어요. 상가 안에는 백화점도 있고, 식당도 있고, 서점도 있어요. 상가 건너편에는 지하철역이 있어요. 많은 학생들이 지하철을 타고 학교에 다녀요. 그래서 아침에는 지하철역이 좀 복잡해요. 우리 집에서 제 동생이 다니는 학교도 가까워요. 우리 집에서 그 학교까지 자전거로 10분 쯤 걸려요. 동생이 다니는 학교 옆에는 수영장이 있어요. 그래서 제 동생은 매일 수영장에 가요. 제가 사는 동네는 생활이 아주 편리해요.

(1) 에드먼턴은 어디에 있는 도시예요?

______________________.

(2) 샤닐은 누구하고 같이 살아요?

______________________.

(3) 샤닐 집 근처에는 뭐가 있어요?

______________________.

(4) 지하철역은 어디 있어요?

______________________.

(5) 아침에는 지하철역이 어때요?

______________________.

(6) 수영장은 어디 있어요?

______________________.

듣기 (Listening) & 쓰기 (Writing)

1 Listen and select the most appropriate response that may come after the dialogue.

(1) ① 대학교 근처에 있어요. ② 기숙사에 살아요.
③ 캐나다에 있어요. ④ 지하철 역도 있어요.

(2) ① 깨끗해요. ② 편리해요.
③ 유명해요. ④ 좋아요.

(3) ① 그럼, 버스가 어디 있어요? ② 그럼, 지하철 건너편에 뭐가 있어요?
③ 그럼, 지하철역은 어디 있어요? ④ 그럼, 어느 쪽으로 돌아요?

(4) ① 그 버스를 타세요. ② 상가앞에서 내리세요.
③ 왼쪽으로 도세요. ④ 신호등이 보일 거예요.

(5) ① 이 사진은 지하철역이에요. ② 여러 군데 있어요.
③ 서울의 전망을 구경했어요. ④ 지하철을 타세요.

2 Listen to the short dialogue and choose the true sentence based on the dialogue.

(1) ① 지하철역이 가까워요. ② 지하철역에 사람이 많아요.
③ 초등학교 앞에서 버스를 타요. ④ 초등학교 건너편에 지하철역이 있어요.

(2) ① 사거리에서 왼쪽으로 돌아요. ② 버스를 타고 신호등에서 내려요.
③ 신호등에서 오른쪽으로 가요. ④ 백화점 건너편에 신호등이 있어요.

(3) ① 에밀리 공원은 교통이 편리해요. ② 에밀리 공원에서 스케이트를 타요.
③ 에밀리 공원을 지나서 내려요. ④ 에밀리 공원 앞에서 버스를 타요.

3 **Listen carefully and find out how often each person exercises. Connect each person with the corresponding box below.**

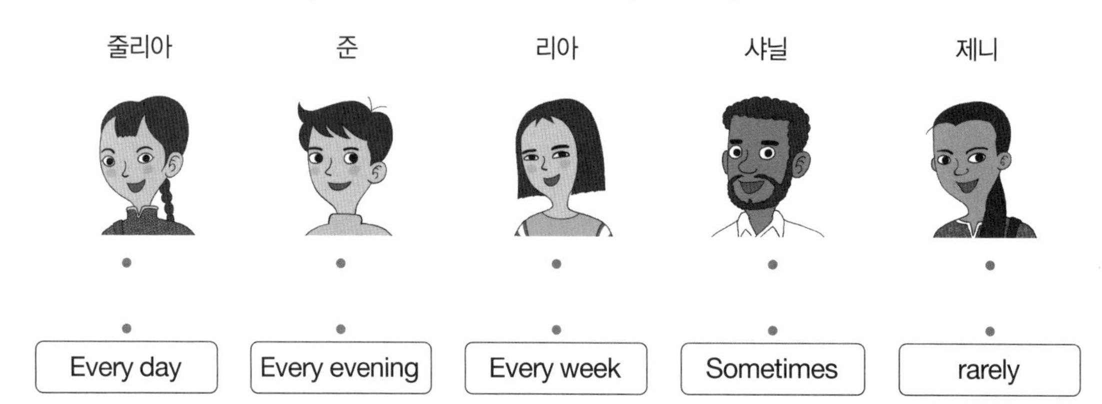

Every day	Every evening	Every week	Sometimes	rarely

4 **Listen to the dialogues and circle the correct words in the blanks.**

(1) The woman should make a (left, right) turn at the four-way intersection to go to the (mart, subway station).

(2) The subway station is located right beside the (four-way intersection, apartment, pharmacy).

(3) The woman should take the (subway, bus) to go to the (mart, subway station).

(4) The woman should take off the (bus, subway) in front of the (pharmacy, mart, elementary school).

(5) The mart is (beside, behind, across) the elementary school.

5 **Listen to the sentences and fill in the blanks.**

(1) [ ] 웹 쇼핑몰이에요.

이 곳은 많은 사람들이 (2) [ ] 곳이에요.

웹 쇼핑몰 (3) [ ] 병원도 있어요.

그래서 웹 쇼핑몰 (4) [ ] 버스가 아주 많아요.

웹 쇼핑몰은 아주 넓고 (5) [ ].

웹 쇼핑몰 안에는 옷 가게들이 (6) [ ] 있어요.

많은 사람들이 옷을 (7) [ ].

그리고 커피숍하고 식당들도 많이 (8) ______.

식당 (9) ______ 큰 마트도 있어요.

(10) ______ 사람들은 맛있는 야채하고 과일을 살 수 있어요.

그렇지만 좀 (11) ______.

웹 쇼핑몰은 아주 (12) ______ 이에요.

6 **Listen to the dialogue between Ben and Julia, and fill in the blanks with (T)rue or F(alse).**

(1) ______ 줄리아가 사는 아파트는 학교에서 가까워요.

(2) ______ 아파트 옆에 마트가 있어요.

(3) ______ 지하철역까지 걸어서 10분 걸려요.

(4) ______ 벤은 전망이 좋은 기숙사에 살아요.

(5) ______ 벤이 사는 기숙사는 깨끗하고 조용해요.

7 **Listen to the narration and answer the following questions.**

(1) 준의 부모님 집이 어디에 있어요?

______.

(2) 동네 옆에 무엇이 있어요?

______.

(3) 공원 안에 무엇이 있어요?

______.

(4) 공원에서 사람들이 뭐 해요?

______.

Lesson 1 Lesson 2 Lesson 3 Lesson 4 Lesson 5

(5) 지하철역이 어디 있어요?

.

(6) 백화점 건너편에 뭐가 있어요?

.

(7) 서점에서 뭘 팔아요?

.

8 Listen and write your own answers to the questions.

(1) .

(2) .

(Please use a modifying form.)

(3) .

(4) .

(Please use a modifying form.)

(5) .

(6) .

(Please use a modifying form.)

(7) .

(Please use a modifying form.)

(8) .

Workbook

영화 보러 갈까요?

단어 (Vocabulary)

1 **Listen and find the picture that corresponds to each word. Write the word below the corresponding picture.**

매표소 치마 샌드위치 배 바지 콜라 매진 국수 햄버거 병

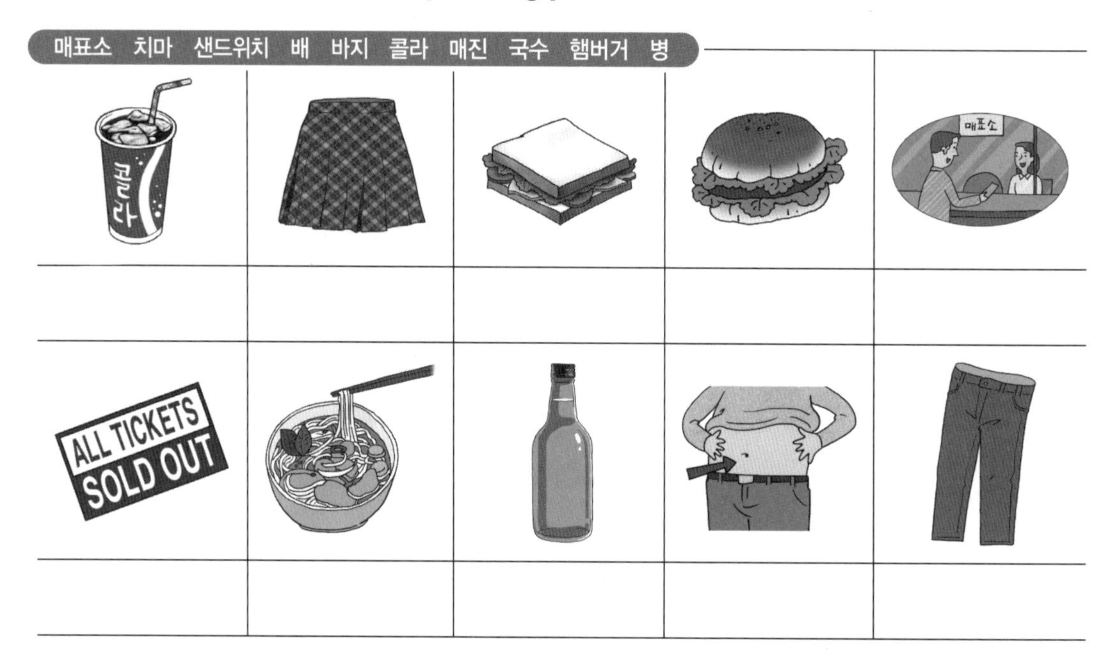

2 **Listen and find the picture that corresponds to each word. Write the word below the corresponding picture.**

굉장히 고기 냉장고 화장실 창문 침대 하루 호텔 아직 표

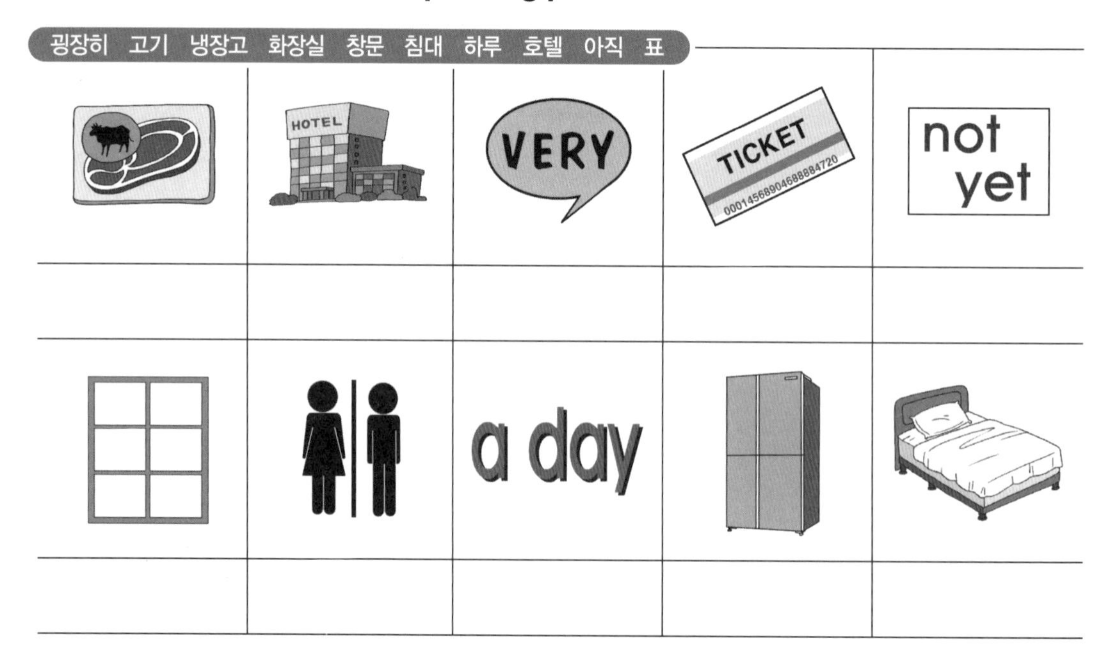

3 **Listen and find the picture that corresponds to each word. Write the word below the corresponding picture.**

무겁다 가볍다 편하다 슬프다 아프다 불편하다 심심하다 시끄럽다 늦다 남다 신기하다

4 **Listen and find the picture that corresponds to each word. Write the word below the corresponding picture.**

돕다 돌아가다 시작하다 맵다 무섭다 끝나다 만들다 막히다 벌다 식사하다

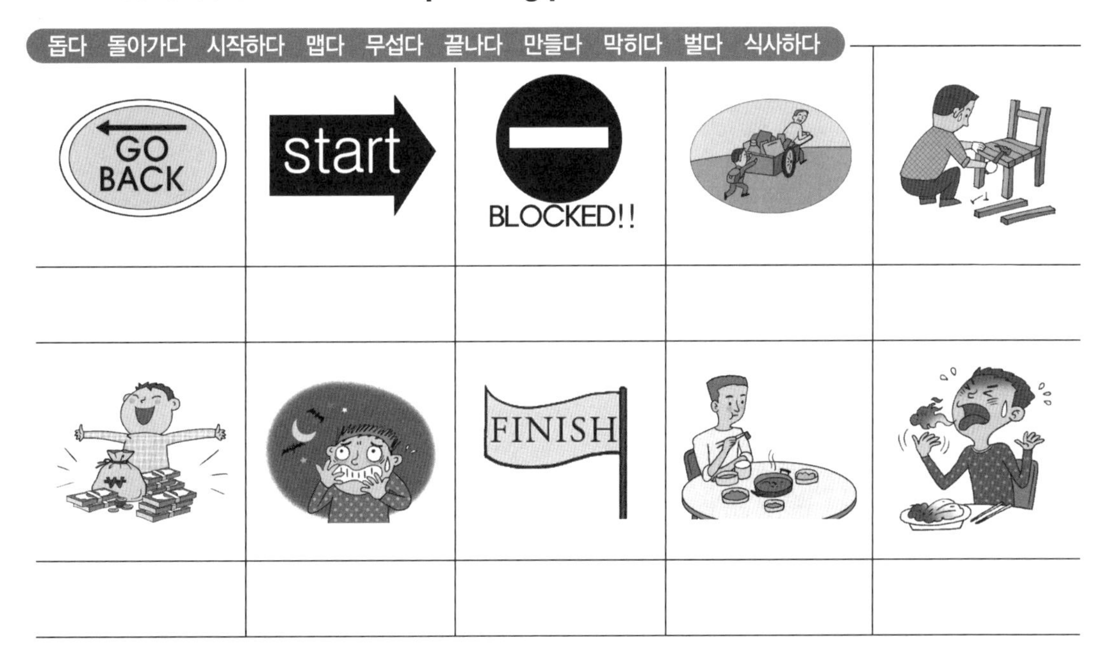

 문법 (Grammar)

1 Complete the table using –을/ㄹ까요.

Dictionary form	–을/ㄹ까요?	Dictionary form	–을/ㄹ까요?
가다		찍다	
드리다		받다	
구경하다		넓다	
만들다		걷다	
듣다		알다	
덥다		어렵다	
좁다		팔다	
좋다		크다	
멀다		가깝다	

2 Change the following sentences as in 1.

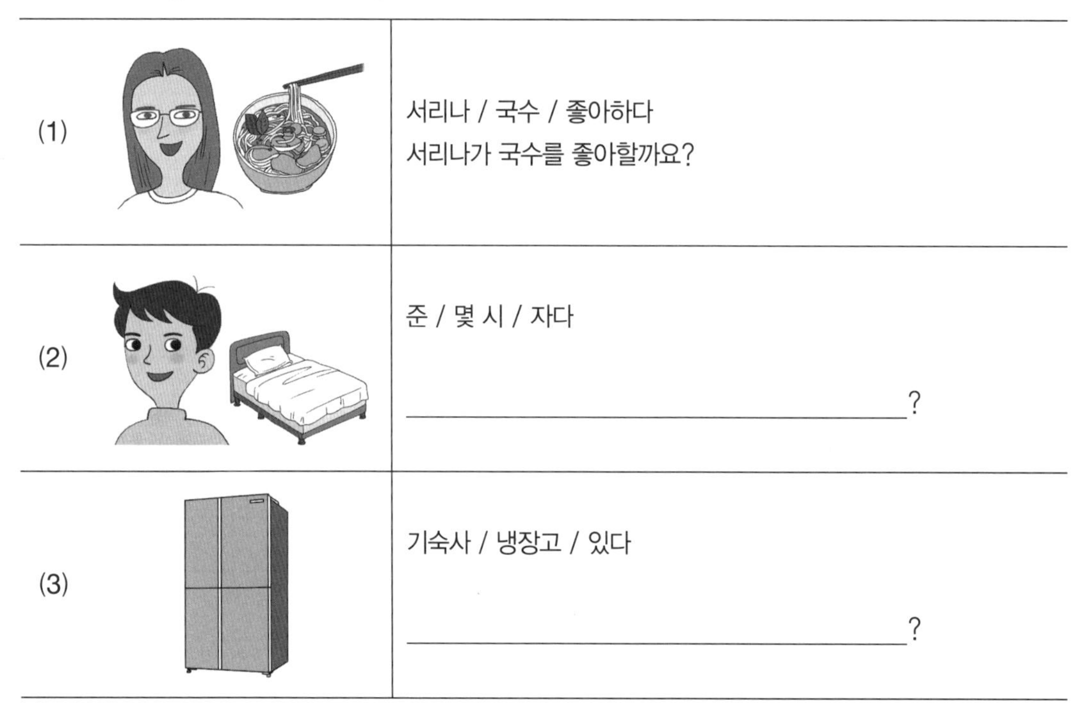

(1)	서리나 / 국수 / 좋아하다 서리나가 국수를 좋아할까요?
(2)	준 / 몇 시 / 자다 ______________________?
(3)	기숙사 / 냉장고 / 있다 ______________________?

(4)	내일 / 날씨 / 춥다 ______________________________?
(5)	서리나 / 무슨 음악 / 듣다 ______________________________?
(6)	음식 / 많이 / 맵다 ______________________________?
(7)	오늘 교통 / 많이 / 막히다 ______________________________?
(8)	선생님 / 어디 / 살다 ______________________________?

3 Fill out the table using –었/았/했을까요.

Dictionary form	–었/았/했을까요?	Dictionary form	–었/았/했을까요?
가다		찍다	
드리다		받다	
구경하다		넓다	
만들다		걷다	
듣다		알다	

덥다		어렵다	
좁다		살다	
좋다		크다	
학생이다		학생이 아니다	

4 **Complete the dialogues using -었/았/했을/ㄹ까요 or -었/았/했을 거예요.**

(1) A: 어제 서리나가 벤한테 전화했을까요? (전화하다)
B: 네, 전화했을 거예요.

(2) A: 벤이 지하철을 [   ]? (타다)
B: 네, 지하철을 [   ].

(3) A: 서리나가 어제 맛있는 김밥을 [   ]? (만들다)
B: 네, 맛있는 김밥을 [   ].

(4) A: 어제 날씨가 [   ]? (덥다)
B: 네, 아주 [   ].

(5) A: 어제 서리나가 벤을 [   ]? (만나다)
B: 아니요, [   ].

(6) A: 어제 서리나가 부모님께 편지를 [   ]? (쓰다)
B: 네, 편지를 [   ].

(7) A: 어제 벤이 수업을 [   ]? (듣다)
B: 아니요, [   ].

(8) A: 작년에 벤이 어디서 [   ]? (살다)
B: 미국에서 [   ].

5 Fill in the blanks using ~을/ㄹ까요 in the appropriate tense.

(1) 내일 테니스 [   ]? (치다)

(2) 내일 아침 몇 시에 [   ]? (오다)

(3) 어제 벤이 선생님께 한국어로 편지를 [   ]? (쓰다)

(4) 오늘 뭘 [   ]? (먹다)

(5) 어제 아침에 벤이 무슨 수업을 [   ]? (듣다)

(6) 어제 벤이 한국어를 [   ]? (연습하다)

(7) 여기서 사진을 [   ]? (찍다)

(8) 샤닐 형이 키가 [   ]? (크다)

(9) 여기서 [   ]? (놀다)

(10) 샤닐이 어제 버스를 타고 어디서 [   ]? (내리다)

(11) 오늘 저녁에 뭘 [   ]? (만들다)

(12) 어제 서리나가 어느 문을 [   ]? (열다)

(13) 어제 한국어 시험이 [   ]? (쉽다)

6 Select a word and complete the dialogues according to the given context, using –을/ㄹ까요.

아프다 남다 좋다 벌다 이다 막히다

(1)		A: 이 아파트는 전망이 좋을까요? B: 네, 좋을 거예요.

Lesson 1 Lesson 2 Lesson 3 Lesson 4 Lesson 5

(2)	A: 오늘 2시 영화표가 매진 ______________________? B: 네, ______________________.
(3)	A: 어제 벤이 많이 ______________________? B: 네, ______________________.
(4)	A: 오늘 교통이 굉장히 ______________________? B: 네, ______________________.
(5)	A: 어제 강아지 밥이 좀 ______________________? B: 아니요, ______________________.
(6)	A: 작년에 케빈이 돈을 많이 ______________________? B: 네, ______________________.

7 Fill out the table with -는데/은데/ㄴ데 form.

Dictionary form	Present	Past	Dictionary form	Present	Past
남다			늦다		
시작하다			벌다		
듣다			끝나다		
만들다			막히다		
있다			춥다		

학생이다			학생이 아니다		
가수다					
시끄럽다			걷다		
가볍다			무겁다		
아프다			돕다		
무섭다			슬프다		

8 **Select a word and complete the dialogue using -는데/은데/ㄴ데.**

멀다 끝나다 이다 더럽다 아프다 보내다 길다 남다

(1) SORRY!! SOLD OUT	A: 4시 영화표가 매진 ____________ 7시 영화를 볼까요? B: 미안해요. 7시에는 병원 약속이 있어요.
(2)	A: 케이크가 좀 ____________ 누구한테 줄까요? B: ________________________________.
(3)	A: 머리가 ____________ 수업을 들을 수 있을까요? B: 아니요, ________________________________.
(4)	A: 집이 ____________ 걸어서 갈 수 있어요? B: 아니요, ________________________________.

Lesson 1 Lesson 2 Lesson 3 Lesson 4 Lesson 5

(5)	A: 손이 ____________ 밥 먹을 수 있어요? B: 아니요, ________________________________.
(6)	A: 제가 지난 주에 편지를 ____________ 받았어요? B: 아니요, ________________________________.
(7)	A: 바지가 너무 ____________ 입을 수 있어요? B: 아니요, ________________________________.
(8)	A: 수업이 벌써 ____________ 벤은 집에 안 가고 뭐 해요? B: ________________________________.

9 **Choose an appropriate sentence from the box to connect to the given sentence with -는데/은데/ㄴ데.**

다음 주에 시험이 있어요.	대학교에 한국어 수업이 없어요.
재미있는 영화가 없어요.	한국식당을 몰라요.
괜찮은 여자/남자가 없어요.	비행기 표가 너무 비싸요.
친구가 없어요.	공원이 멀어요.

(1) 오늘 저녁에 한국 음식을 먹고 싶 ________________.

(2) 주말에 영화 보러 가고 싶 ________________.

(3) 생일에 친구한테서 선물을 받고 싶 ________________.

(4) 한국어를 배우고 싶 ________________.

(5) 주말에 쉬고 싶 ______________.

(6) 방학에 한국에 가고 싶 ______________.

(7) 남자/여자 친구를 사귀고 싶 ______________.

(8) 산책하고 싶 ______________.

10 **Complete the following sentences with what you wanted to do but could not as in the example.**

(Example) 어제 영화를 보고 싶었는데 못 봤어요.

(1) 어제 ______________ 싶었는데 못 ______________.

(2) 지난 주말에 ______________ 싶었는데 못 ______________.

(3) 지난 여름 방학에 ______________ 싶었는데 못 ______________.

(4) 작년에 ______________ 싶었는데 못 ______________.

(5) 어릴 때 (When I was young) ______________ 싶었는데 못 ______________.

11 **Answer the questions using -(이)나 or -밖에.**

(1)	BOOK	A: 지난 달에 책을 몇 권 읽었어요? B: ______________.
(2)		A: 집에 강아지가 몇 마리 있어요? B: ______________.

(3)		A: 어제 물을 몇 병 마셨어요? B: ______________________________.
(4)	4시간	A: 어제 노래방에서 몇 시간 동안 노래했어요? B: ______________________________.
(5)	한국어	A: 우리 학교에 한국어 선생님이 몇 분 계세요? B: ______________________________.
(6)	100	A: 그 기숙사에 학생이 몇 명 살아요? B: ______________________________.
(7)	10	A: 아버지께서 돈을 얼마나 주셨어요? B: ______________________________.
(8)	5X	A: 수업에 몇 번 늦었어요? B: ______________________________.

12 Fill out the table.

Basic form	Present form –네요	Past form –었/았/했네요
책이다	책이네요	
책이 아니다		
예쁘다	예쁘네요	
춥다		
심심하다		
듣다		
만들다		
살다		
놀다		
벌다		
멀다		
열다		

13 Look at the pictures and complete the sentences, using –네요.

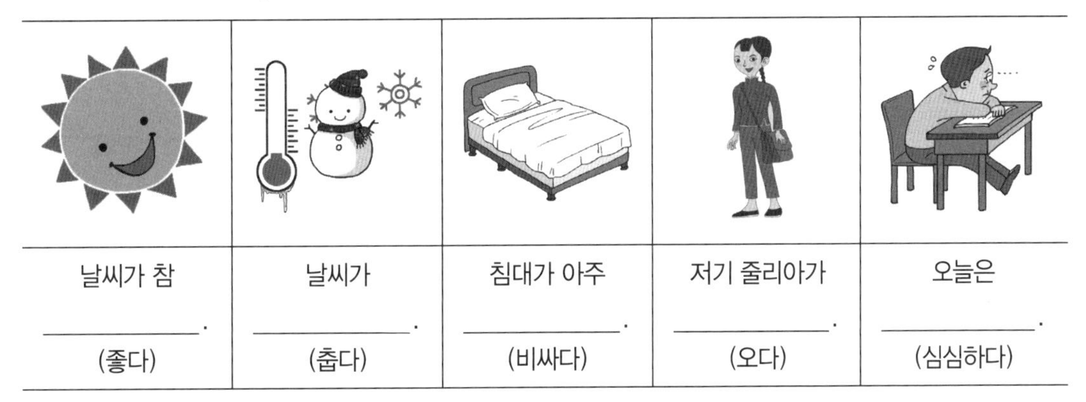

날씨가 참 ________. (좋다)	날씨가 ________. (춥다)	침대가 아주 ________. (비싸다)	저기 줄리아가 ________. (오다)	오늘은 ________. (심심하다)

14 Fill in the blanks with the past form of –었/았/했네요.

(1) 벌써 숙제를 다 [   ]. (하다)

(2) 벤이 어제 고향에 [   ]. (돌아가다)

(3) 어제 열심히 [   ]. (공부하다)

(4) 어제 책을 많이 [   ]. (읽다)

(5) 맛있는 음식을 [   ]. (만들다)

(6) 집까지 오는데 30분이나 [   ]. (걸리다)

(7) 수업이 벌써 [   ]. (끝나다)

(8) 어제는 날씨가 아주 [   ]. (덥다)

(9) 작년에 케빈 씨는 정말 큰 집에서 [   ]. (살다)

(10) 준은 큰 도시에서 [   ]. (태어나다)

15 Fill out the blanks using –네요, and connect them with the appropriate responses in the right column.

(1) A: 냉장고에 야채가 [   ]. (많다) •

(2) A: 머리가 [   ]. (아프다) •

(3) A: 음식이 많이 [   ]. (남았다) •

(4) A: 방이 [   ]. (깨끗하다) •

(5) A: 음식이 [   ]. (맵다) •

(6) A: 여기는 좀 [   ]. (시끄럽다) •

(7) A: 오늘 교통이 아주 [   ]. (복잡하다) •

(8) A: 오늘은 일찍 [   ]. (일어났다) •

(9) A: 1시 영화표가 매진 [   ]. (이다) •

• B: ① 약을 드세요.

• B: ② 그럼, 지하철을 탈까요?

• B: ③ 야채로 점심 만들까요?

• B: ④ 그럼, 4시 표를 살까요?

• B: ⑤ 물을 좀 드릴까요?

• B: ⑥ 네, 오늘 아침에 청소했어요.

• B: ⑦ 그럼, 집에 가서 공부할까요?

• B: ⑧ 네, 사람들이 음식을 많이 안 먹었어요.

• B: ⑨ 네, 어제 일찍 잤어요.

16 Change the following sentence endings into the -네요 form, as in the example.

(1) 머리가 아파요 → 머리가 아프네요.

(2) 가방이 무거워요. → ______.

(3) 벤이 오늘도 늦어요. → ______.

(4) 리아가 김밥을 잘 만들어요. → ______.

(5) 방학이 끝났어요. → ______.

(6) 이 영화는 너무 슬퍼요. → ______.

(7) 초등학생들이 길을 잘 건너요. → ______.

(8) 집이 굉장히 멀어요. → ______.

(9) 저기 지하철역이 보여요. → ______.

(10) 많은 사람이 공원에서 걸어요. → ______.

17 Fill out the table using -어서/아서.

Regular verbs/ adjectives	앉다	앉아서	먹다		불편하다	
	좁다		늦다		복잡하다	
	남다		찍다		시작하다	
Contraction verbs/ adjectives	가다		지내다		배우다	
	바쁘다		크다		오다	
	슬프다		마시다		주다	
	아프다		막히다		보다	
ㄷ irregular	듣다		걷다		묻다	
ㅂ irregular	어렵다		덥다		춥다	

18 Select the predicates from the box and complete the sentences using -어서/아서.

아프다 오다 싶다 일하다 심심하다 살다 흐리다 싫어하다 무겁다 듣다

(1) 서리나는 여름 방학에 열심히 [ ] 돈을 많이 벌었어요.

(2) 줄리아는 무서운 영화를 [ ] 거의 안 봐요.

(3) 리아는 [ ] 샤닐한테 전화했어요.

(4) 벤은 [ ] 오늘도 수업에 못 갔어요.

(5) 서리나하고 리아는 기숙사에 같이 [ ] 친해요.

(6) 샤닐은 오늘 가방이 [ ] 친구 차를 타고 집에 갔어요.

(7) 오늘은 날씨가 [ ] 공원에 안 갔어요.

(8) 눈이 [ ] 길이 막혀요.

(9) 샤닐은 이번 학기에 수업을 많이 [ ] 아주 바빠요.

(10) 케빈은 한국에 가고 [ ] 한국어를 열심히 공부해요.

19 Combine the two sentences using -어서/아서 as in 1.

(1) 벤은 오늘 늦게 일어났어요. 그래서 아침을 못 먹었어요.
벤은 오늘 늦게 일어나서 아침을 못 먹었어요.

(2) 방이 더러웠어요. 그래서 청소했어요.

[ ]

(3) 오늘 비가 왔어요. 그래서 테니스 치러 못 갔어요.

[ ]

(4) 병원이 멀었어요. 그래서 차로 갔어요.

[ ]

(5) 샤닐은 파티에서 즐거웠어요. 그래서 춤을 추었어요.

(6) 숙제가 어려웠어요. 그래서 두 시간이나 걸렸어요.

(7) 케빈은 강아지를 갖고 싶었어요. 그래서 부모님께 편지를 썼어요.

20 Complete the dialogues using the given words.

(1)	A: 왜 오늘 공원에 안 갔어요? B: ______________________ 공원에 안 갔어요. (비 / 오다)
(2)	A: 오늘 왜 수업에 늦었어요? B: ______________________ 수업에 늦었어요. (늦게 / 일어나다)
(3)	A: 왜 요리를 자주 안 해요? B: ______________________ 자주 안 해요. (요리 / 잘 못하다)
(4) NO CLASSES	A: 오늘 왜 학교에 안 가요? B: ______________________ 학교에 안 가요. (오늘 / 수업 / 없다)
(5)	A: 왜 열심히 일해요? B: ______________________ 열심히 일해요. (차 / 사다 / 싶다)

(6)		A: 왜 오늘은 차로 학교에 안 가요? B: ________________ 차로 학교에 안 가요. (교통 / 막히다)
(7)		A: 왜 그 아파트에 살아요? B: ________________ 이 아파트에 살아요. (전망 / 좋다)

21 **Find the appropriate reason from the box and make dialogues as in the example.**

(1) A: 왜 수업에 늦었어요?
B: 차가 막혀서요.

(2) A: 왜 부모님께 전화를 못 했어요?
B: ________________.

(3) A: 왜 병원에 갔어요?
B: ________________.

(4) A: 왜 수영했어요?
B: ________________.

(5) A: 왜 청소했어요?
B: ________________.

(6) A: 왜 어제 집에만 있었어요?
B: ________________.

(7) A: 왜 선생님을 만났어요.
B: ________________.

(1) 한국 노래를 좋아해요.
(2) 차가 막혔어요.
(3) 아침을 아직 못 먹었어요
(4) 바빴어요.
(5) 머리가 아팠어요.
(6) 운동하고 싶었어요.
(7) 날씨가 추워요.
(8) 내일 시험이 있어요.
(9) 친구한테 주고 싶었어요.
(10) 산책을 하고 싶었어요.
(11) 방이 더러웠어요.
(12) 피곤했어요.
(13) 약속 시간에 늦었어요.
(14) 가까웠어요.
(15) 질문이 있었어요.

읽기 (Reading) & 쓰기 (Writing)

1 **Read the table below and answer the questions. Please use a dictionary for the new vocabulary that is indicated with the sign *.**

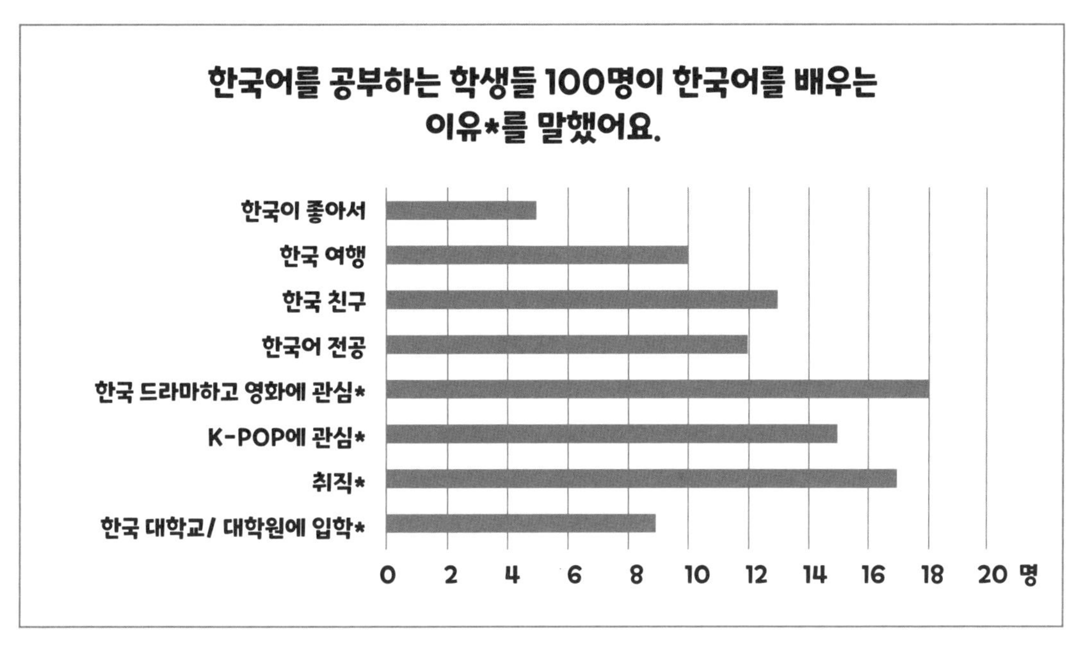

(1) 뭘 이야기해요?

① 한국어가 왜 재미있어요? ② 한국어를 왜 배워요?

③ 한국에서 뭘 하고 싶어요? ④ 한국어는 뭐가 어려워요?

(2) 학생들이 한국어를 왜 배워요?

① 한국 사람과 결혼하고 싶어서요. ② 한국에 살고 싶어서요.

③ 한국에서 공부하고 싶어서요. ④ 한국어가 재미있어서요.

(3) 어떤 학생들이 가장* 많아요?

① 한국어를 전공하는 학생들 ② 한국에 여행가고 싶은 학생들

③ 한국 영화를 좋아하는 학생들 ④ 한국 노래를 자주 듣는 학생들

(4) 학생 10명은 왜 한국어를 배워요? (Respond in a sentence using -어서/아서.)

______________________________.

(5) 학생 13명은 왜 한국어를 배워요? (Respond in a sentence using -어서/아서.)

______________________________.

2 **Read the following dialogue. Write the name of the restaurant that each sentence describes. Write 'X' if the sentence is not true for both restaurants.**

서리나	우리 심심한데 국수 먹으러 갈까요?
벤	네, 좋아요. 어느 식당에 갈까요?
서리나	〈고향〉식당에 갈까요? 거기는 음식이 싸고 맛있어요.
벤	그렇지만 그 식당은 여기서 좀 멀어서 불편해요.
서리나	그럼, 어디가 좋을까요?
벤	이 근처에 제가 아는 식당이 한 군데 있는데 깨끗하고 여기서 차로 15분밖에 안 걸려요.
서리나	식당 이름이 뭐예요?
벤	〈서울〉 식당이에요.
서리나	아, 서울 식당은 다운타운에 있지요? 다운타운에 차가 안 막힐까요?
벤	아마 교통이 조금 복잡할 거예요.
서리나	그 식당은 지하철로도 갈 수 있어요.
벤	그래요? 그럼, 우리 지하철로 가요.

멀어요	고향 식당	음식이 싸요	
사람이 많아요		가까워요	
다운타운에 있어요		지하철로 갈 수 있어요	
음식이 맛있어요		유명해요	
깨끗해요		교통이 복잡해요	

3 Read the narration and answer to the questions.

벤은 오늘 도서관에 갔어요. 내일 시험이 있어서 벤은 오늘 도서관에서 열심히 공부했어요. 그런데 저녁에 벤은 한국 음식을 먹고 싶었어요. 그래서 준한테 전화했어요. 준도 아직 저녁을 안 먹었는데 벤의 전화를 받아서 좋았어요. 벤하고 준은 버스를 타고 한국 식당에 갔어요. 도서관에서 한국 식당까지 조금 멀어서 40분이나 걸렸어요. 한국 식당에는 사람이 많아서 굉장히 복잡했어요. 벤하고 준은 한국 음식을 많이 먹고 8시에 식당에서 나왔어요. 그리고 벤하고 준은 버스를 30분이나 기다렸어요. 밤에는 버스가 자주 안 와서 아주 불편했어요. 벤하고 준은 늦게 집에 돌아왔어요. 오늘 교통은 불편했지만 저녁 식사는 아주 즐거웠어요.

(1) 벤은 오늘 왜 도서관에서 공부했어요?

.

(2) 벤은 왜 준한테 전화했어요?

.

(3) 벤하고 준은 저녁에 어디에 갔어요?

.

(4) 벤하고 준은 식당에 어떻게 갔어요?

.

(5) 도서관에서 식당까지 얼마나 걸렸어요?

.

(6) 한국 식당은 어땠어요?

.

(7) 왜 밤에는 버스가 불편했어요?

.

듣기 (Listening) & 쓰기 (Writing)

1 Listen to the dialogue between Cerina and Ben, and select Cerina's most appropriate response which would come after this dialogue.

(1) ① 표가 매진일 거예요. ② 영화가 끝날 거예요.
③ 먼저 저녁을 먹었어요. ④ 영화가 재미있네요.

(2) ① 공원에 사람이 많네요. ② 좋은 생각이에요.
③ 지하철을 타고 갔어요. ④ 교통이 불편해요.

(3) ① 네, 자주 방을 청소해요. ② 네, 방이 넓어서 편해요.
③ 네, 청소하고 싶어요. ④ 네, 방이 여러 군데 있어요.

(4) ① 표가 없어서요. ② 시험이 있어서요.
③ 학교에 늦어서요. ④ 배가 아파서요.

(5) ① 영화가 재미있었네요. ② 영화가 벌써 끝나네요.
③ 시간이 많이 남았네요. ④ 차가 굉장히 많네요.

2 Listen to the dialogue and select the correct information.

(1) ① 리아가 괜찮은 서점을 알아요. ② 차로 10분밖에 안 걸려요.
③ 샤닐은 식당에 가고 싶어해요. ④ 영화관에서 식당까지 멀어요.

(2) ① 샤닐은 선물을 많이 받았어요. ② 샤닐은 생일 선물을 받았어요.
③ 리아는 선물을 많이 받았어요. ④ 리아는 선물을 많이 못 받았어요.

(3) ① 리아는 커피를 마시고 싶어해요. ② 리아는 내일 시험이 끝나요.
③ 리아는 커피를 조금밖에 안 마셨어요. ④ 리아는 커피를 많이 마셨어요.

3 Listen to the narration and connect each person with the corresponding action and reason.

People	Actions	Reasons
벤 •	• Went to the park •	• Because he/she had an exam
샤닐 •	• Went to the department store •	• Because he/she got up late in the morning
서리나 •	• Was late for class •	• Because he/she wanted to buy a present.
리아 •	• Could not go to school •	• Because there was no class
준 •	• Went to the library •	• Because there's a traffic jam
제니 •	• Went to the hospital •	• Because he/she had a headache.

4 Listen to the sentences and fill in the blanks.

(1) 한국어를 [ ] 배웠어요?

(2) 오늘 차가 많이 [ ]?

(3) 벤이 왜 수업에 [ ]?

(4) 차로 [ ] 안 걸려요.

(5) [ ] 에 사람이 [ ] 많네요.

(6) 그거 좋은 [ ].

(7) 음식이 많이 [ ].

(8) 옆 방이 너무 [ ] 잘 수가 없어요.

(9) [ ] 고맙습니다.

(10) 영화가 밤 11시에 [ ].

5 **Listen to the dialogue between Cerina and Kevin, and fill in the blanks with (T)rue or F(alse). And then answer the following questions.**

1. [ ] Cerina moved to the dormitory last month.
2. [ ] The dormitory is quiet.
3. [ ] Cerina is not bored.
4. [ ] Kevin comes to school by car.
5. [ ] The traffic is not bad in the morning.
6. 서리나가 사는 기숙사는 뭐가 안 좋아요?

[ ].

7. 서리나가 얼마동안 기숙사에서 살았어요?

[ ].

8. 서리나가 왜 안 심심해요?

[ ].

9. 케빈이 학교에 차로 와요. 그런데 왜 불편해요?

[ ].

6 **Listen to the dialogue between Ben and Cerina, and fill in the blanks with (T)rue or F(alse).**

(1) [ ] 내일 날씨가 맑을 거예요.

(2) [ ] 벤은 내일 서리나하고 점심 먹으러 학교 식당에 갈 거예요.

(3) [ ] 학교에서 공원까지 가까워요.

(4) [ ] 벤은 식당 앞에서 서리나를 만날 거예요.

(5) [ ] 서리나는 내일 공원에 갈 거예요.

7 Listen to the dialogue between Shanil and Leah and answer the following questions.

(1) 샤닐이 왜 전화했어요?

.

(2) 샤닐이 오늘 리아하고 뭘 하고 싶어해요?

.

(3) 영화관까지 버스로 얼마나 걸려요?

.

(4) 리아하고 샤닐이 뭘 타고 영화관에 갈 거예요? 왜요?

.

8 Listen to the narration, and answer the questions.

(1) 샤닐이 왜 벤한테 전화했어요?

.

(2) 샤닐이 왜 벤하고 같이 체육관에 못 갔어요?

.

(3) 샤닐하고 준이 운동하고 어디에 갔어요?

.

(4) 준이 왜 콜라를 주문했어요?

.

(5) 샤닐이 집에 어떻게 갔어요? 집까지 얼마나 걸렸어요?

.

(6) 커피숍에서 집까지 왜 40분이나 걸렸어요?

.

9 **Listen to the questions and write your own answers.**

(1) ______________________.

(2) ______________________.

(3) ______________________.

(4) (Please respond using '–이나' or '–밖에'.)

______________________.

(5) (Please respond using '–이나' or '–밖에'.)

______________________.

(6) (Please respond using '–이나' or '–밖에'.)

______________________.

(7) ______________________.

(8) ______________________.

(9) ______________________.

(10) ______________________.

Workbook Answers

Lesson 1 • 어제 뭐 했어요?

단어 (Vocabulary)

1 Script 어제, 비행기, 과일, 신문, 야채, 삼촌, 술, 머리, 작년, 닭고기

신문	머리	닭고기	어제	작년
과일	술	야채	비행기	삼촌

2 Script 샐러드, 휴일, 마트, 소설책, 은행, 손, 잡지, 수영장, 가수, 테니스장

소설책	잡지	테니스장	샐러드	수영장
휴일	가수	손	마트	은행

3 Script 모르다, 산책하다, 설거지하다, 웃다, 말하다, 친하다, 여행하다, 목욕하다, 씻다, 청소하다

친하다	모르다	설거지하다	청소하다	산책하다
말하다	여행하다	목욕하다	웃다	씻다

4 Script 타다, 조용하다, 예쁘다, 드시다, 착하다, 주무시다, 데이트하다, 싫어하다, 깨끗하다, 키가 크다

데이트하다	타다	깨끗하다	조용하다	키가 크다
착하다	싫어하다	드시다	주무시다	예쁘다

문법 (Grammar)

1

(1) 지는 자주 ( ) 커피를 (안) 마셔요.
(2) 줄리아하고 제니는 (안) 친 ( ) 해요.
(3) 저는 아침에 ( ) 손을 (안) 씻어요.
(4) 제니는 토요일에 ( ) 산책 (안) 해요.
(5) 벤의 방이 (안) 깨끗 ( ) 해요.
(6) 벤은 ( ) 한국 신문을 (안) 읽어요.
(7) 미쉘은 일요일에 ( ) 청소 (안) 해요.
(8) 오늘 도서관이 (안) 조용 ( ) 해요.

2

(1) 아니요, 자주 청소 안 해요
(2) 네, 자주 산책해요
(3) 아니요, 매일 안 먹어요
(4) 아니요, 매일 산책 안 해요
(5) 아니요, 자주 손을 안 씻어요
(6) 아니요, 안 깨끗해요
(7) 아니요, 자주 목욕 안 해요

3

(1) 내일 도서관에 안 가요
(2) 오늘 수업이 없어요
(3) 이번 학기에 중국어를 안 배워요
(4) 텔레비전을 매일 안 봐요
(5) 닭고기가 맛없어요
(6) 줄리아를 몰라요
(7) 줄리아는 한국 사람이 아니에요
(8) 테니스가 재미없어요
(9) 학생들이 교실에서 안 조용해요
(10) 자주 여행 안 해요

4

(1) 못 가요
(2) 설거지 못 해요
(3) 야채를 싫어해요
(4) 안 깨끗해요
(5) 연습 못 해요

5

The answers will vary.

6

(1) 네 (2) 네 (3) 네 (4) 네 (5) 네
(6) 아니요 (7) 네 (8) 네 (9) 네 (10) 아니요

7

Dic. form	Present Polite form	Dic. form	Present Polite form
많다	많아요	씻다	씻어요
웃다	웃어요	청소하다	청소해요
타다	타요	깨끗하다	깨끗해요
조용하다	조용해요	말하다	말해요
친하다	친해요	착하다	착해요
크다	커요	예쁘다	예뻐요
바쁘다	바빠요	지내다	지내요
마시다	마셔요	오다	와요
주다	줘요	듣다	들어요
걷다	걸어요	배우다	배워요

8

Dic. form	Present Polite form	Dic. form	Present Polite form
많다	많았어요	씻다	씻었어요
웃다	웃었어요	청소하다	청소했어요
타다	탔어요	깨끗하다	깨끗했어요
조용하다	조용했어요	말하다	말했어요
친하다	친했어요	착하다	착했어요
크다	컸어요	예쁘다	예뻤어요
바쁘다	바빴어요	지내다	지냈어요
마시다	마셨어요	오다	왔어요
주다	줬어요	듣다	들었어요
걷다	걸었어요	배우다	배웠어요

9

The answers will vary.

(1) 선생님이 아니었어요. 대학원생이었어요
(2) 벤의 삼촌이 아니었어요. 벤의 형이었어요
(3) 체육관이 아니었어요. 도서관이었어요
(4) 21 일이 아니었어요. 22 일이었어요
(5) 10 월이 아니었어요. 11 월이었어요
(6) 토요일이 아니었어요. 일요일이었어요
(7) 떡볶이가 아니었어요. 김밥이었어요
(8) 19 살이 아니었어요. 20 살이었어요
(9) 2 개가 아니었어요. 3 개였어요
(10) 서리나 거가 아니었어요. 벤 거였어요

10

(1) 어제 저는 7 시에 일어났어요
(2) 어제 저는 주스를 마셨어요
(3) 어제 한국어 수업을 들었어요
(4) 어제 학교에서 샤닐을 만났어요
(5) 어제는 샤닐 생일이었어요
(6) 어제 한국 식당에서 밥을 먹었어요
(7) 어제 우리는 이야기를 많이 했어요
(8) 어제 저녁에 영화도 봤어요
(9) 어제 영화가 재미있었어요

11

(1) 일어났어요 (2) 먹었어요, 마셨어요 (3) 봤어요

(4) 만났어요
(5) 재미있었어요, 웃었어요
(6) 갔어요
(7) 많았어요, 조용했어요
(8) 잤어요

12

Basic	Present honorific	Past honorific
타다	타세요	타셨어요
모르다	모르세요	모르셨어요
있다 (existence)	계세요	계셨어요
있다 (possession)	있으세요	있으셨어요
삼촌이다	삼촌이세요	삼촌이셨어요
가수다	가수세요	가수셨어요
웃다	웃으세요	웃으셨어요
듣다	들으세요	들으셨어요
걷다	걸으세요	걸으셨어요
씻다	씻으세요	씻으셨어요
친하다	친하세요	친하셨어요
자다	주무세요	주무셨어요
먹다	드세요	드셨어요

13

(1) 줄리아는 커피를 마시고 샤닐은 신문을 읽어요
(2) 벤은 청소하고 서리나는 설거지해요
(3) 미쉘은 책을 읽고 리아는 텔레비전을 봐요
(4) 제니는 음악을 듣고 준은 요리해요

14

The answers will vary.

(1) 맛있고 싸요
(2) 넓고 조용해요
(3) 깨끗하고 넓어요
(4) 착하고 재미있어요
(5) 싸고 예뻐요
(6) 친절하고 착했어요

15

(1) 보고, 먹고
(2) 청소하고, 마시고
(3) 전화하고, 산책하고
(4) 보고, 목욕하고

16

(1) 맛있고, 맛없어요
(2) 마시고, 마셨어요
(3) 크고 깨끗해요
(4) 걷고, 쳤어요
(5) 듣고, 들었어요

17

Dic. form	-어서/아서	Dic. form	-어서/아서
가다	가서	앉다	앉아서
오다	와서	만나다	만나서
태어나다	태어나서	운전하다	운전해서
일어나다	일어나서	사다	사서
씻다	씻어서	배우다	배워서

18

(1) 친구를 만나서 점심 먹으러 갔어요
(2) 저는 백화점에 가서 옷을 사요

(3) 형이 결혼해서 한국에서 살아요
(4) 아침에 일어나서 커피를 마셨어요
(5) 여름에 한국에 가서 한국어를 공부해요
(6) 저는 캐나다에서 태어나서 자랐어요

19

(1) 가서 (2) 만나서 (3) 결혼해서 (4) 일어나서 (5) 사서
(6) 와서 (7) 앉아서 (8) 받아서 (9) 배워서

읽기 (Reading) & 쓰기 (Writing)

1

(1) F (2) F (3) F (4) F (5) F (6) T (7) T

2

	서리나	준
(1)	집에서 식사했어요.	학교 식당에서 식사했어요.
(2)	한국 음식을 먹었어요.	닭고기를 먹었어요.
(3)	마트에 갔어요.	청소하고 설거지했어요.
(4)	야채를 자주 먹어요.	과일을 자주 먹어요.
(5)	네, 안 좋아해요.	아니요, 운동 좋아해요.

3

(1) 샤닐은 벤하고 친해요
(2) 샤닐은 토요일에 보통 벤을 만나서 같이 운동해요
(3) 이번 토요일에 샤닐은 아버지하고 같이 집을 청소했어요. 그리고 어머니하고 같이 마트에 가서 과일을 샀어요. 그래서 바빴어요
(4) 샤닐은 벤 집에서 닭고기 요리를 해서 먹었어요. 그리고 한국어 숙제도 했어요
(5) 벤은 닭고기 요리를 잘 했어요
(6) 샤닐은 저녁 늦게 집에 갔어요

듣기 (Listening) & 쓰기 (Writing)

1

(1) Script 닭고기 안 좋아해요? Answer ③ 네, 싫어해요.
(2) Script 야채 자주 안 먹어요? Answer ② 아니요, 매일 먹어요.
(3) Script 줄리아하고 안 친해요? Answer ④ 아니요, 친해요.
(4) Script 그 지우개는 서리나 거가 아니었어요? Answer ③ 네, 제 거였어요.
(5) Script 선생님, 어제 점심에 뭘 드셨어요? Answer ④ 빵을 먹었어요.
(6) Script 매일 일찍 일어나요? Answer ④ 아니요, 늦게 일어나요.

2

(1) Script 서리나: 벤, 어제 마트에 갔어요?
벤: 아니요, 어제는 집에서 청소하고 설거지했어요.
서리나: 그럼, 야채를 못 샀어요?
벤: 아니요, 오늘 아침에 마트에 가서 샀어요.
Answer ② 벤은 어제 마트에 못 갔어요.

(2) Script 서리나: 벤은 케빈하고 친해요?
벤: 네, 친해요.
서리나: 그럼, 자주 케빈을 만나요?
벤: 아니요, 케빈이 요즘 바빠요. 그래서 자주 못 만나요.
Answer ④ 벤은 케빈하고 친해요.

(3) **Script** 서리나: 어제 왜 전화 안 받았어요?
벤: 미안해요. 어제 부모님이 기숙사에 오셨어요. 그래서 바빴어요.
서리나: 벤 부모님은 자주 기숙사에 오세요?
벤: 네, 자주 오세요.
Answer ④ 벤은 어제 서리나하고 전화 못 했어요.

3

Script (1) 십일월 십일일 (2) 칠월 십칠일 (3) 유월 이십육일
(4) 삼월 십이일 (5) 일월 이십일일 (6) 시월 십일
(7) 이천십오년 십이월 삼십일일 (8) 이천이십이년 팔월 십팔일
Answer (1) 11월 11일 (2) 7월 17일 (3) 6월 26일
(4) 3월 12일 (5) 1월 21일 (6) 10월 10일
(7) 2015년 12월 31일 (8) 2022년 8월 18일

4

Script 줄리아는 집에 와서 설거지했어요. 준은 아침에 일어나서 청소했어요. 리아는 사과를 씻어서 먹었어요. 샤닐은 도서관에 가서 잡지를 읽었어요. 제니는 친구를 만나서 산책했어요.

줄리아	준	리아	샤닐	제니
Coming home	Getting up in the morning	Washing an apple	Going to the library	Meeting a friend
Washing dishes	Cleaning	Eating an apple	Reading magazines	Taking a walk

5

(1) 닭고기를, 싫어해요 (2) 11월 17일 (3) 봤어요
(4) 일어나서 목욕했어요 (5) 씻어서 (6) 산책해요
(7) 작년에 (8) 다행히 (9) 조용하고 깨끗해요
(10) 늦게

6

Script

서리나 벤, 지난 주말에 어디 갔어요?
벤 테니스 치러 체육관에 갔어요.
서리나 벤은 자주 테니스 쳐요?
벤 아니요, 저는 테니스 안 쳐요. 그런데 지난 주말에는 샤닐하고 같이 테니스 치러 갔어요.
서리나 샤닐은 테니스 잘 쳐요?
벤 네, 잘 쳐요. 서리나는 지난 주말에 뭐 했어요?
서리나 저는 마트에 가서 과일하고 야채를 샀어요.
벤 서리나는 요리 잘 해요?
서리니 네, 저는 요리를 좋아해요. 그래서 자주 요리해요.
벤 오늘도 요리했어요?
서리나 아니요, 오늘은 수업이 많았어요. 그래서 학교 식당에서 식사했어요.

(1) T (2) F (3) F (4) F (5) T

7

Script

(1) 벤: 저는 벤이에요. 저는 오늘 늦게 일어났어요. 그래서 아침을 못 먹었어요. 오전에 한국어 수업에 갔어요. 저는 샤닐하고 친해요. 그래서 오후에 샤닐하고 수영장에 갔어요. 그리고 저녁에 집에 왔어요. 집에서 닭고기를 요리해서 먹었어요. 저녁을 먹고 설거지도 했어요. 그리고 일찍 잤어요.

(2) 서리나: 저는 서리나예요. 오늘은 수업이 없었어요. 저는 오전에 리아하고 기숙사에서 텔레비전을 봤어요. 오후에는 마트에 갔어요. 마트에서 과일을 샀어요. 오후 늦게 저녁을 먹으러 식당에 갔어요. 식당에서 샐러드를 먹었어요. 그리고 저녁에는 도서관에서 숙제를 했어요. 밤 늦게 집에 와서 청소했어요. 그리고 밤 늦게 잤어요.

수업이 있었어요.	B	수업이 없었어요.	C
일찍 일어났어요.	X	늦게 일어났어요.	B
일찍 잤어요.	B	늦게 잤어요.	C
아침을 못 먹었어요.	B	은행에 갔어요.	X
텔레비전을 봤어요.	C	마트에 갔어요.	C
식당에 갔어요.	C	도서관에 갔어요.	C
집에 늦게 왔어요.	C	집에 일찍 왔어요.	B
닭고기를 먹었어요.	B	숙제했어요.	C
샐러드를 먹었어요.	C	청소했어요.	C
산책했어요.	X	설거지했어요.	B

8

Script The answers will vary.

(1) 야채를 싫어해요? (2) 자주 운동해요? (3) 지난 주말에 뭐 했어요?
(4) 자주 청소해요? (5) 어제 어머니는 뭐 하셨어요? (6) 아침에 일어나서 보통 뭐 해요?
(7) 한국 사람 아니세요? (8) 오늘 운동 안 해요? (9) 어제가 휴일이었어요?
(10) 피아노 잘 쳐요?

9

Script The answers will vary.

(1) 아침 먹고 보통 뭐 하세요? (2) 마트에 가서 보통 뭐 사요? (3) 지난 주말에 뭐 했어요?
(4) 어제 집에 가서 뭐 했어요? (5) 보통 친구를 만나서 뭐 해요?

Lesson 2 • 이번 방학에 뭐 할 거예요?

단어 (Vocabulary)

1 **Script** 비, 눈, 젓가락, 날씨, 고향, 부채, 생활, 방학, 중고차, 피아노

날씨	방학	고향	눈	젓가락
부채	피아노	비	생활	중고차

2 Script 다음, 스키, 내년, 자전거, 겨울, 여름, 춤, 스케이트, 파티

자전거	겨울	여름	다음	스케이트
스키	춤	내년	파티	

3 Script 살다, 갖다, 결혼하다, 쓰다, 입다, 다니다, 추다, 운전하다

옷을 입다	운전하다	결혼하다	다니다	집에서 살다
컴퓨터를 쓰다	춤을 추다	선물을 갖다		

4 Script 멀다, 귀엽다, 쉽다, 즐겁다, 맑다, 덥다, 어렵다, 좁다, 춥다, 그립다, 따뜻하다, 흐리다, 가깝다

덥다	춥다	따뜻하다	멀다	가깝다
좁다	쉽다	어렵다	흐리다	귀엽다
더럽다	즐겁다	그립다	맑다	

문법 (Grammar)

1

Dictionary form	Future tense	Dictionary form	Future tense
많다	많을 거예요	앉다	앉을 거예요
다니다	다닐 거예요	따뜻하다	따뜻할 거예요
살다	살 거예요	입다	입을 거예요
운전하다	운전할 거예요	걷디	걸을 거예요
크다	클 거예요	듣다	들을 거예요
바쁘다	바쁠 거예요	맑다	맑을 거예요
멀다	멀 거예요	좁다	좁을 거예요
흐리다	흐릴 거예요	(춤을) 추다	(춤을) 출 거예요
이다	일 거예요	아니다	아닐 거예요

2

(1) 탈 거예요
(2) 운전할 거예요
(3) 흐릴 거예요
(4) 입을 거예요
(5) 출 거예요
(6) 쓸 거예요
(7) 따뜻할 거예요
(8) 들을 거예요
(9) 살 거예요

3

Dictionary form	-어요/아요	-었/았어요	-을/ㄹ 거예요
좁다	좁아요	좁았어요	좁을 거예요
입다	입어요	입었어요	입을 거예요
결혼하다	결혼해요	결혼했어요	결혼할 거예요
가지다	가져요	가졌어요	가질 거예요
쓰다	써요	썼어요	쓸 거예요
바쁘다	바빠요	바빴어요	바쁠 거예요

지내다	지내요	지냈어요	지낼 거예요
다니다	다녀요	다녔어요	다닐 거예요
보다	봐요	봤어요	볼 거예요
흐리다	흐려요	흐렸어요	흐릴 거예요
오다	와요	왔어요	올 거예요
(춤을) 추다	(춤을) 춰요	(춤을) 췄어요	(춤을) 출 거예요
배우다	배워요	배웠어요	배울 거예요
따뜻하다	따뜻해요	따뜻했어요	따뜻할 거예요
이다	이에요/예요	이었어요/였어요	일 거예요
살다	살아요	살았어요	살 거예요
듣다	들어요	들었어요	들을 거예요
걷다	걸어요	걸었어요	걸을 거예요

4

(1) 배울 거예요 (2) 들을 거예요 (3) 이었어요 (4) 했어요
(5) 봤어요 (6) 왔어요 (7) 먹었어요 (8) 예요
(9) 이에요 (10) 할 거예요 (11) 갈 거예요 (12) 있어요
(13) 있을 거예요 (14) 만날 거예요 (15) 탈 거예요 (16) 바쁠 거예요

5

Dictionary form	-을/ㄹ 거예요	-(으)실 거예요
다니다	다닐 거예요	다니실 거예요
입다	입을 거예요	입으실 거예요
먹다	먹을 거예요	드실 거예요
걷다	걸을 거예요	걸으실 거예요
받다	받을 거예요	받으실 거예요
듣다	들을 거예요	들으실 거예요
운전하다	운전할 거예요	운전하실 거예요

6

(1) 하실 거예요, 볼 거예요 (2) 드실 거예요, 먹을 거예요
(3) 여행할 거예요, 여행하실 거예요 (4) 만나실 거예요, 만날 거예요
(5) 오실 거예요, 갈 거예요 (6) 들으실 거예요, 아니세요

7

(1) 영화를 보고 싶어해요 (2) 자고 싶어해요
(3) 친구를 만나고 싶어해요 (4) 스케이트를 타고 싶어하세요
(5) 자전거를 타고 싶어해요

8

Dictionary form	-을/ㄹ 수 있다	Dictionary form	-을/ㄹ 수 있다
입다	입을 수 있다	사다	살 수 있다
걷다	걸을 수 있다	살다	살 수 있다

운전하다	운전할 수 있다	가지다	가질 수 있다
쓰다	쓸 수 있다	듣다	들을 수 있다
(춤을) 추다	(춤을) 출 수 있다	치다	칠 수 있다
다니다	다닐 수 있다	씻다	씻을 수 있다

9

The answers will vary.

10

The answers will vary.

11

The answers will vary.

(1) 공부를 많이 했어요. 그렇지만 시험을 못 봤어요
(2) 오늘 택시를 타고 학교에 왔어요. 그렇지만 수업에 늦었어요
(3) 백화점에서 가방을 봤어요. 가방이 예뻤어요. 그렇지만 가방이 비쌌어요
(4) 한국어는 재미있어요. 그렇지만 숙제가 많아요
(5) 오늘 날씨가 맑아요. 그렇지만 내일은 날씨가 흐릴 거예요
(6) 내일 친구들이 영화 보러 가요. 그렇지만 저는 영화 보러 안 갈 거예요
(7) 이번 방학에 한국에 가고 싶어요. 그렇지만 저는 이번 방학에 일해요
(8) 어머니는 요리를 잘 하세요. 그렇지만 아버지는 요리를 잘 못 하세요

12

(1) 그리고 (2) 그렇지만 (3) 그래서, 그런데 (4) 그럼

13

Dictionary form	Polite form	Dictionary form	Polite form
춥다	추워요	그립다	그리워요
덥다	더워요	가깝다	가까워요
어렵다	어려워요	귀엽다	귀여워요
쉽다	쉬워요	즐겁다	즐거워요
입다	입어요	좁다	좁아요

14

(1) 쉬워요, 어려워요 (2) 추워요, 더워요 (3) 멀어요, 가까워요
(4) 무서워요, 귀여워요 (5) 재미없어요, 즐거워요 (6) 깨끗해요, 더러워요
(7) 넓어요, 좁아요

15

(1) 더워요 (2) 쉬워요 (3) 가까워요 (4) 추워요
(5) 어려워요 (6) 좁아요 (7) 더러워요 (8) 그리워요
(9) 즐거워요

16

Dictionary form	Present form	Past form
좋다	좋지만	좋았지만
맑다	맑지만	맑았지만

보고 싶다	보고 싶지만	보고 싶었지만
따뜻하다	따뜻하지만	따뜻했지만
타다	타지만	탔지만
흐리다	흐리지만	흐렸지만
다니다	다니지만	다녔지만
(춤을) 추다	(춤을) 추지만	(춤을) 췄지만
춥다	춥지만	추웠지만
그립다	그립지만	그리웠지만
좁다	좁지만	좁았지만
살다	살지만	살았지만
멀다	멀지만	멀었지만
쓰다	쓰지만	썼지만
어렵다	어렵지만	어려웠지만

17

(1) 하지만　(2) 치지만　(3) 맑지만　(4) 많지만
(5) 살지만　(6) 즐겁지만　(7) 멀지만

18

(1) 짧았지만　(2) 귀여웠지만　(3) 어려웠지만　(4) 흐렸지만
(5) 즐거웠지만　(6) 이었지만　(7) 갖고 싶었지만　(8) 다녔지만

읽기 (Reading) & 쓰기 (Writing)

1

(1) T　(2) T　(3) F　(4) F　(5) F　(6) F　(7) T

2

(1) 부모님 집에 안 갈 거예요.	L	(2) 한국 친구가 많아요.	B
(3) 운전할 수 있어요.	B	(4) 병원에서 일할 거예요.	L
(5) 부모님이 그리워요.	L	(6) 부모님 집에서 쉴 거예요.	B
(7) 학교 친구들을 만날 거예요.	X	(8) 한국어를 연습하고 싶어요.	B
(9) 비행기를 탈 거예요.	X	(10) 수업을 들을 거예요.	L
(11) 부모님이 한국에 계세요.	X	(12) 커피숍에서 일할 거예요.	X

3

(1) 제니는 토요일 아침에 한국 부채춤을 배우러 가요
(2) 제니는 부채춤을 배우고 싶어해요
(3) 부채춤은 부채를 가지고 춤을 추어요
(4) 부채춤은 조금 어렵지만 아주 재미있어요
(5) 제니는 부채춤을 열심히 연습해서 11월의 한국 문화 행사에서 춤을 출 거예요

듣기 (Listening) & 쓰기 (Writing)

1

(1) Script 벤은 이번 여름 방학에 뭘 배울 거예요?

Answer ④ 피아노를 배울 거예요.

(2) Script 제니 할아버지는 오늘 공원에서 누구를 만나실 거예요?

Answer ② 벤을 만나실 거예요.

(3) Script 이번 여름 방학에 어디에 가고 싶어요?

Answer ① 고향에 가고 싶어요.

(4) Script 학교 생활이 즐거워요?

Answer ③ 네, 즐겁지만 좀 바빠요.

(5) Script 생일 파티가 어땠어요?

Answer ① 즐거웠어요.

2

(1) Script 서리나: 선생님, 이번 여름 방학에 뭐 하실 거예요?

선생님: 피아노를 배울 거예요. 서리나는 여름 방학에 뭐 할 거예요?

서리나: 저는 이번 방학에 운전을 배우고 싶지만 시간이 없어요. 수업을 들을 거예요.

Answer ④ 선생님은 피아노를 배우실 거예요.

(2) Script 서리나: 어제는 날씨가 추웠지만 오늘은 따뜻해요.

벤: 네, 어제는 눈도 왔어요. 그래서 저는 집에만 있었어요.

서리나: 내일은 날씨가 어때요?

벤: 흐리고 비가 올 거예요.

Answer ② 오늘은 따뜻해요.

3

Script

A: 월요일에는 비가 와요? B: 아니요, 눈이 올 거예요.
A: 화요일에는 날씨가 맑아요? B: 아니요, 흐릴 거예요.
A: 내일은 날씨가 추워요? B: 네, 추울 거예요.
A: 주말에는 눈이 와요? B: 아니요, 비가 올 거예요.
A: 수요일에는 날씨가 맑아요? B: 네, 맑을 거예요.
A: 목요일에는 눈이 와요? B: 아니요, 더울 거예요.

월요일	화요일	내일	주말	수요일	목요일

4

(1) 맑지만 추워요
(2) 흐리지만 따뜻해요
(3) 방학에
(4) 운전하고 싶어해요
(5) 탈 수 있어요
(6) 어려웠지만
(7) 가깝지만, 다녀요
(8) 그리워요

5

(1) 다음 주말
(2) 만날 수 없었어요
(3) 갈 거예요
(4) 운전할 수 있어요
(5) 배우고 싶어요
(6) 다닐 거예요
(7) 중고차를
(8) 어려울 거예요
(9) 그렇지만
(10) 맑을 거예요
(11) 스케이트를

6

Script

벤 선생님, 지난 주말에 뭐 하셨어요?
선생님 저는 한국 도서관에 가서 책을 읽었어요. 벤은 지난 주말에 뭐 했어요?
벤 저는 스케이트를 탔어요. 아주 즐거웠어요.
선생님 이번 주말에도 스케이트 타러 갈 거예요?
벤 아니요, 이번 주말에는 날씨가 아주 추울 거예요. 그래서 못 가요. 선생님은 이번 주말에도 한국 도서관에 가실 거예요?
선생님 아니요, 안 갈 거예요. 왜요?
벤 저도 한국 도서관에 가고 싶어요. 한국 도서관이 여기서 멀어요?
선생님 네, 조금 멀어요. 이번 주말에는 제가 좀 바쁠 거예요. 그렇지만 다음 주말에는 같이 갈 수 있어요.

(1) T (2) T (3) F (4) F (5) T

7

Script

서리나는 줄리아하고 친해요. 그래서 서리나는 줄리아를 자주 만나요. 줄리아는 스케이트를 잘 타요. 지난 주말에는 눈이 왔지만 날씨가 안 추웠어요. 그래서 서리나는 줄리아하고 같이 스케이트를 타러 공원에 갔어요. 공원에는 사람들이 아주 많았어요. 스케이트가 어려웠지만 아주 재미있었어요. 그런데 다음 주말에는 날씨가 아주 추울 거예요. 그래서 다음 주말에 서리나하고 줄리아는 수영장에 갈 거예요. 서리나는 수영을 잘 하지만 줄리아는 수영을 잘 못 해요. 서리나하고 줄리아는 수영을 하고 커피 마시러 커피숍에도 갈 거예요. 서리나하고 줄리아는 다음 주말에도 아주 즐거울 거예요.

(1) 서리나는 지난 주말에 스케이트를 타러 공원에 갔어요
(2) 지난 주말에는 눈이 왔지만 안 추웠어요
(3) 서리나는 다음 주말에 수영장에 갈 거에요
(4) 줄리아는 스케이트를 잘 타요
(5) 줄리아는 수영을 잘 못 해요

8

Script The answers will vary.

(1) 이번 방학에 뭐 할 거예요?
(2) 뭘 잘 할 수 있어요?
(3) 오늘 날씨가 어때요?
(4) 일요일에 어디에 갈 거예요?
(5) 생일이 언제예요?
(6) 생일에 뭐 갖고 싶어요?
(7) 피아노 칠 수 있어요?
(8) 집이 가까워요?
(9) 뭘 배우고 싶어요?

Lesson 3 • 무슨 영화를 볼 거예요?

단어 (Vocabulary)

1 Script 지하철, 편지, 음료수, 가을, 봄, 딸기, 기차, 올해, 이메일, 숟가락, 버스, 장갑

버스	기차	지하철	이메일	편지	올해
꽃	장갑	가을	숟가락	음료수	딸기

2 Script 사탕, 간호학, 나라, 꽃, 계절, 말

계절	꽃	말	나라	사탕	간호학

3 Script 성함, 저희, 연세, 나이, 생신

나이	연세	성함	생신	저희

4 Script 나오다, 드리다, 축하하다, 준비하다, 태어나다, 걸리다, 주무시다, 죽다, 돌아가시다, 기뻐하다, 받다, 나가다

받다	드리다	나가다	죽다	돌아가시다	걸리다
기뻐하다	축하하다	나오다	태어나다	주무시다	준비하다

5 Script 뵈다, 내다, 자라다, 보내다, 유명하다

자라다	유명하다	보내다	내다	뵈다

6

(1)	season (계절) spring (봄) summer (여름) fall (가을) winter (겨울)
(2)	chopsticks (젓가락) spoon (숟가락)
(3)	last year (작년) this year (올해) next year (내년)
(4)	to receive (받다) to send (보내다)
(5)	to die (죽다) to be born (태어나다)

7

Complete the table with the corresponding honorific or humble expressions.

Nouns	Honorific expressions	Pronouns	Humble expressions
생일	생신	나	저
이름	성함	우리	저희
나이	연세		
집	댁		
말	말씀		

8

Verbs	Honorific expressions	Humble expressions
먹어요	드세요	No humble expressions
죽었어요	돌아가셨어요	
자요	주무세요	
있어요 (to be)	계세요	
있어요 (to have)	있으세요	
봐요	보세요	뵈어요
줘요	주세요	드려요

9

Kinds of particles	Plain	Honorific form
Subject particle	이/가	께서
Topic particle	은/는	께서는
Goal particle	한테	께
Source particle	한테서	께

문법 (Grammar)

1

Dictionary form	Present form	Past form
가다	가지요?	갔지요?
맑다	맑지요?	맑았지요?
먹다	먹지요	먹었지요?
계시다	계시지요?	계셨지요?
쓰다	쓰지요?	썼지요?
걸리다	걸리지요?	걸렸지요?
보내다	보내지요?	보냈지요?
춥다	춥지요?	추웠지요?
기뻐하다	기뻐하지요?	기뻐했지요?
살다	살지요?	살았지요?
듣다	듣지요?	들었지요?

2

(1) 이지요 (2) 있지요 (3) 했지요 (4) 마셨지요 (5) 살지요
(6) 맛있지요 (7) 깨끗하지요 (8) 짧지요 (9) 흐리지요 (10) 태어났지요

3

(1) 예쁘지요, 예뻐요 (2) 친하지요, 친해요 (3) 가깝지요, 가까워요
(4) 봤지요, 봤어요 (5) 유명하지요, 유명해요 (6) 이었지요, 토요일이었어요
(7) 흐렸지요, 흐렸어요 (8) 갖고 싶지요, 새 차를 갖고 싶어요

4

(1) B: 어제 늦게 잤지요?
(2) B: 한국말을 잘 하지요?
(3) B: 어제 파티에서 즐거웠지요?
(4) B: 샤닐하고 친하지요?
(5) B: 야채를 싫어하지요?
(6) B: 방이 더럽지요?
(7) B: 부모님이 보고 싶지요?
(8) B: 어제 공부 열심히 했지요?

5

(1) 무슨 (2) 어느 (3) 무슨 (4) 무슨 (5) 무슨
(6) 어느 (7) 어느 (8) 무슨 (9) 어느 (10) 어느

6

(1) 어느, 한국말을 잘 해요.
(2) 무슨, 간호학 수업을 들어요.
(3) 무슨, 월요일에 수업이 있어요.
(4) 어느, 여름에 태어났어요.
(5) 무슨, 꽃을 보냈어요.
(6) 무슨, 한국 음식을 자주 먹어요.
(7) 무슨, 바나나를 좋아해요.

7

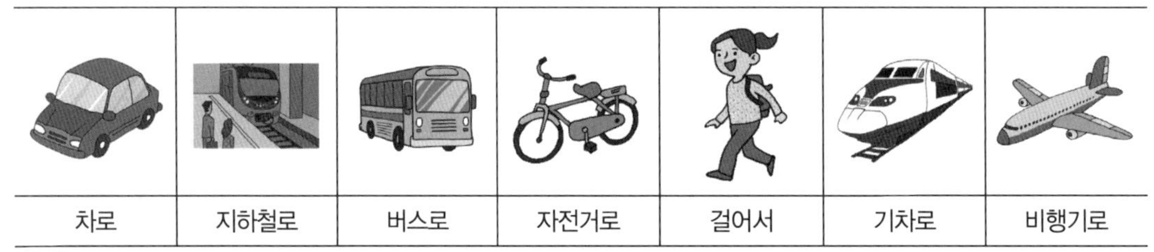

차로	지하철로	버스로	자전거로	걸어서	기차로	비행기로

8

(1) 이름을 연필로 써요
(2) 영화를 유튜브로 봐요
(3) 스파게티를 포크로 먹어요
(4) 게임을 컴퓨터로 해요
(5) 한국어를 교과서로 공부해요

9

(1) 에서, 에서
(2) 에서, 까지, 로
(3) 에, 로
(4) 에서, 에, 에
(5) 에, 에, 에서

10

(1) 에 (2) 에서 (3) 에 (4) 에서 (5) 에
(6) 에 (7) 에서 (8) 에 (9) 에서 (10) 에서
(11) 에서 (12) 에서 (13) 에서 (14) 에 (15) 에서 (16) 에서

11

(1) 한테 (2) 한테서 (3) 한테서 (4) 한테 (5) 한테
(6) 한테서 (7) 한테서 (8) 한테

12

(1) 한테 (2) 한테서 (3) 한테 (4) 한테서 (5) 한테
(6) 한테서 (7) 한테 (8) 한테서

13

(1) 동생한테 선물을 주었어요
(2) 여자 친구한테 꽃을 보냈어요
(3) 언니한테서 전화가 왔어요
(4) 친구한테서 이야기를 들었어요
(5) 선생님께 한국어를 배웠어요
(6) 선생님께 편지를 썼어요
(7) 산타 할아버지께 선물을 받았어요

14

(1) 한테 (2) 께 (3) 한테서 (4) 에 (5) 께
(6) 한테 (7) 한테 (8) 께 (9) 한테 (10) 에

(11) 한테서　(12) 한테　(13) 에　(14) 에서　(15) 한테
(16) 에서　(17) 한테서　(18) 께

15

(1) 께서, 한테　(2) 께　(3) 께　(4) 한테서　(5) 께서, 한테
(6) 께　(7) 한테

16

(1) 께서, 읽으세요　(2) 께서는, 이세요　(3) 께서, 주셨어요
(4) 께서, 드셨어요　(5) 께서는, 계세요　(6) 오셨어요
(7) 지내세요　(8) 주무세요　(9) 돌아가셨어요
(10) 태어나셨어요

17

(1) 댁이 어디세요　(2) 성함이 어떻게 되세요　(3) 말씀을 잘 들으세요
(4) 생신이 언제세요　(5) 께서는 연세가 많으세요

18

(1) 주셨어요　(2) 줬어요　(3) 드렸어요　(4) 드렸어요

19

(1) A: 서리나가 누구한테 편지를 줬어요　B: 서리나가 선생님께 편지를 드렸어요
(2) A: 할아버지께서 누구한테 돈을 주셨어요　B: 할아버지께서 아버지께 돈을 주셨어요
(3) A: 아버지께서 누구한테 꽃을 주셨어요　B: 아버지께서 선생님께 꽃을 드리셨어요
(4) A: 선생님께서 누구한테 한국어를 가르치셨어요　B: 선생님께서 서리나한테 한국어를 가르치셨어요

20

(1) 저는　(2) 저희는　(3) 제　(4) 저희　(5) 봤어요
(6) 보셨어요　(7) 뵈었어요　(8) 줬어요　(9) 주셨어요　(10) 께, 드렸어요
(11) 드셨어요

21

(1) 동생이 어머니께 꽃을 드렸어요　(2) 할아버지께서 할머니께 선물을 주셨어요
(3) 할머니께서 서리나한테 전화하셨어요　(4) 할아버지께서 집에 계셨어요
(5) 아버지께서 아침을 드셨어요　(6) 할아버지께서 소파에서 주무셨어요
(7) 서리나가 연구실에서 선생님을 뵈었어요　(8) 우리 선생님 성함은 김유나 선생님이세요

읽기 (Reading) & 쓰기 (Writing)

1

(1) F　(2) F　(3) T　(4) F　(5) F　(6) T

2

(1) 지난, 토요일　(2) 스물 다섯　(3) 꽃　(4) 필리핀
(5) 작년　(6) 에드먼턴　(7) 할머니 댁

3

(1) 샤닐은 캐나다에서 자랐어요.
(2) 어제는 샤닐 아버지 생신이었어요
(3) 어제 샤닐 가족은 아버지 생신을 축하하러 한국 식당에 갔어요
(4) 샤닐은 아버지께 카드하고 케이크를 드렸어요
(5) 집에서 한국 식당까지 차로 30분쯤 걸려요

듣기 (Listening) & 쓰기 (Writing)

1

(1) Script A: 내일이 리아 생일이에요. B: 그래요? 생일 선물 준비했어요?
Answer ③ 네, 꽃을 줄 거예요.

(2) Script A: 서리나 생일이 언제예요? B: 지난 주 목요일이었어요.
Answer ① 그래요? 몰랐어요.

(3) Script A: 집에서 학교까지 멀어요? B: 아니요, 가까워요. 그래서 학교에 걸어서 가요.
A: 집에서 학교까지 얼마나 걸려요?
Answer ④ 십 분 걸려요.

(4) Script A: 내일 수업이 없지요? B: 네, 그래서 영화관에 갈 거예요.
A: 무슨 영화 볼 거예요?
Answer ② 코메디 영화 볼 거예요.

(5) Script A: 어느 마트에 자주 가요? B: 저는 한국 마트에 자주 가요.
A: 한국 마트에서 보통 뭘 사요?
Answer ③ 야채를 사요.

2

(1) Script 서리나: 어디 가요?
벤: 백화점에 가요. 내일이 어머니 생신이에요. 어머니께 생신 선물을 드리고 싶어요.
서리나: 어머니께서는 에드먼턴에 계시지요?
벤: 아니요, 미국에 계세요.
Answer ③ 벤은 지금 백화점에 가요.

(2) Script 서리나: 백화점에 같이 가요. 나는 지갑을 사고 싶어요.
벤: 좋아요. 같이 가요.
서리나: 집에서 백화점까지 멀어요?
벤: 아니요. 지하철로 10분쯤 걸려요.
Answer ③ 집에서 백화점까지 안 멀어요.

(3) Script 벤: 오늘 월요일이지요?
서리나: 아니요, 화요일이에요. 왜요?
벤: 어제가 제 어머니 생신이었어요. 그런데 어머니께 전화를 못 했어요.
서리나: 그래요? 그럼, 지금 어머니께 전화하세요.
Answer ④ 지금 벤은 전화할 거예요.

3

Script

준	제니, 집이 멀어요?
제니	네, 조금 멀어요.
준	집에서 학교까지 얼마나 걸려요?
제니	버스로 삼십 분쯤 걸려요. 준도 집에서 학교까지 멀어요?
준	아니요. 가까워요. 자전거로 오 분 걸려요.
제니	오늘도 자전거로 학교에 왔어요?
준	아니요. 오늘은 날씨가 따뜻해요. 그래서 걸어서 왔어요.

(1) 멀어요 (2) 버스로 (3) 30 분 (4) 자전거로
(5) 5 분 (6) 걸어서 (7) 따뜻해요

4

(1) 축하해요
(2) 어떻게 되세요
(3) 한테서, 꽃하고, 장갑
(4) 무슨
(5) 짧지요
(6) 무슨 계절
(7) 태어나서
(8) 걸어서
(9) 께서, 드셨어요
(10) 숟가락으로

5

Script

벤	서리나, 내일 뭐 할 거예요?
서리나	내일 생일 파티 할 거예요. 내일이 리아 생일이에요.
벤	그래요? 생일 선물 준비했어요?
서리나	네, 꽃하고 장갑을 줄 거예요.
벤	서리나 생일은 언제예요?
서리나	10월 23일이에요. 벤 생일은 언제예요?
벤	지난 주 목요일이었어요.
서리나	그래요? 몰랐어요. 생일 축하해요.
벤	고마워요.
서리나	생일에 뭐 했어요?
벤	친구들하고 식당에 갔어요. 친구들한테서 선물도 많이 받았어요.
서리나	무슨 선물 받았어요?
벤	책하고 편지를 받았어요.

(1) F (2) F (3) T (4) T (5) F

6

Script

지난 주 토요일에 우리 가족은 모두 할머니 댁에 갔어요. 할머니 댁은 우리 집에서 아주 가까워요. 걸어서 5분 걸려요. 할머니께서는 우리를 보고 아주 기뻐하셨어요. 할머니께서는 필리핀에서 태어나서 자라셨어요. 그렇지만 지금은 에드먼턴에 계세요. 어머니께서는 음식을 준비하셨고 아버지께서는 과일을 사셨어요. 저는 할머니께 꽃을 드렸고 제 동생들은 할머니 앞에서 노래하고 춤을 추었어요. 할머니께서는 많이 웃으셨어요. 우리 가족은 할머니 댁에서 아주 즐거웠어요.

(1) 지난 주말에 우리 가족은 할머니 댁에 갔어요
(2) 우리 집에서 할머니 댁까지 걸어서 5분 걸려요
(3) 할머니께서는 필리핀에서 태어나셨어요
(4) 꽃을 드렸어요
(5) 동생들이 노래하고 춤을 추었어요. 그래서 할머니께서 많이 웃으셨어요

7

Script The answers will vary.

(1) 보통 어느 마트에 가세요?
(2) 오늘 월요일이지요?
(3) 무슨 과일을 좋아하세요?
(4) 어느 계절을 좋아하세요?
(5) 어디 살아요?
(6) 집에서 학교까지 멀어요?
(7) 집에서 학교까지 얼마나 걸려요?
(8) 학교에 어떻게 와요?
(9) 어머니께 무슨 선물 드렸어요?
(10) 어제 누구한테 전화했어요?
(11) 누구한테서 한국어를 배워요?
(12) 어디서 태어나서 자랐어요?

Lesson 4 • 제 고향은 서울이에요.

단어 (Vocabulary)

1 Script 상가, 사거리, 교회, 아파트, 동네, 교수님, 신호등, 약국, 길, 초등학교

교회	상가	약국	초등학교	아파트
길	신호등	사거리	동네	교수님

2 Script 사진, 교통, 지하철역, 여기, 근처, 딸기, 초등학생, 오른쪽, 왼쪽, 날, 건너편, 전망, 도시

도시	왼쪽	오른쪽	사진	지하철역	날
교통	근처	초등학생	건너편	전망	여기

3 Script 돌다, 찍다, 구경하다, 보이다, 열다, 내리다, 묻다, 방문하다, 놀다, 지나다

찍다	놀다	내리다	돌다	보이다
묻다	지나다	열다	구경하다	방문하다

4 Script 길다, 건너다, 복잡하다, 뵙다, 편리하다, 짧다

건너다	길다	짧다	편리하다	복잡하다	뵙다

문법 (Grammar)

1

(1) 아니요, 가끔 청소해요
(2) 네, 매일 목욕해요
(3) 네, 매일 청소해요
(4) 아니요, 닭고기를 거의 안 먹어요
(5) 아니요, 산책을 전혀 안 해요
(6) 네, 매일 닭고기를 먹어요

2

Answers may vary according to your context.

3

Dictionary form	Noun-modifying form	Dictionary form	Noun-modifying form
짧다	짧은 연필	맑다	맑은 날
크다	큰 도시	재미없다	재미없는 이야기
바쁘다	바쁜 언니	흐리다	흐린 날씨
좁다	좁은 방	귀엽다	귀여운 동생
그립다	그리운 친구	따뜻하다	따뜻한 옷
덥다	더운 곳	맛있다	맛있는 음식
즐겁다	즐거운 시간	편리하다	편리한 교통

4

예쁜 동네	큰 도시	좋은 전망
귀여운 강아지	맛있는 딸기	복잡한 교통
편리한 버스	추운 날씨	가까운 지하철역

5

(1) 바쁜 (2) 추운 (3) 재미있는 (4) 많은
(5) 맛있는 (6) 비싼 (7) 넓은 (8) 좁은
(9) 좋은 (10) 더운 (11) 가까운 (12) 어려운

6

Dictionary form	–어/아요	–었/았/ㅆ어요	–을/ㄹ 거예요	–(으)세요
알다	알아요	알았어요	알 거예요	아세요
놀다	놀아요	놀았어요	놀 거예요	노세요
열다	열어요	열었어요	열 거예요	여세요
돌다	돌아요	돌았어요	돌 거예요	도세요
멀다	멀어요	멀었어요	멀 거예요	머세요
길다	길어요	길었어요	길 거예요	기세요
말다	말아요	---------	---------	마세요

7

(1) 놀아요 (2) 마세요 (3) 멀어요 (4) 여실 거예요
(5) 도세요 (6) 길어요 (7) 아세요

8

Verb	Modifying form	Verb	Modifying form
가다	내가 (가는) 곳	찍다	케빈이 (찍는) 사진
건너다	학생들이 (건너는) 길	뵙다	부모님을 (뵙는) 날
듣다	리아가 (듣는) 음악	앉다	선생님이 (앉으시는) 의자
'ㄹ' Irregular verbs	Verb stem + 는 ('ㄹ' is omitted)	'ㄹ' Irregular adjectives	Adjective + 은/ㄴ ('ㄹ' is omitted)
살다	내가 (사는) 집	멀다	집이 (먼) 학생
열다	문을 (여는) 가게	길다	머리가 (긴) 여자

9

(1) 가르치시는 (2) 배우는 (3) 하는 (4) 춤추는
(5) 치는 (6) 하는 (7) 보는 (8) 기다리는
(9) 읽으시는

10

(1) 건너는 사람은 벤이에요 (2) 여시는 분은 우리 어머니세요 (3) 내리는 사람은 제 동생이에요
(4) 나오는 사람은 우리 누나예요 (5) 찍으시는 분은 우리 삼촌이세요

11

(1) 벤이 좋아하는 운동은 테니스예요 (2) 나오는 사람은 서리나예요 (3) 교통이 편리한 도시예요
(4) 학생들이 수업을 듣는 곳이에요 (5) 드시는 것은 아이스크림이에요 (6) 쉬는 날이에요

12

(1) 여기 (2) 여기에 (3) 여기서 (4) 여기로
(5) 저기 (6) 저기에

13

(1) 에 (2) 로 (3) 에서, 으로 (4) 에
(5) 에 (6) 에

14

(1) 이 쪽으로 가세요 (2) 오른쪽으로 가세요 (3) 왼쪽으로 도세요
(4) 버스에서 내리세요 (5) 사거리에서 건너세요 (6) 약국으로 오세요

15

(1) 50번 버스를 타고 한국 병원 앞에서 내리세요 (2) 지하철 2호선을, 쇼핑몰
(3) 4 번 버스를, 부산 약국 (4) 지하철 2호선을 타고 한강 공원 앞에서 내리세요
(5) 43 번 버스를 타고 서울 아파트 앞에서 내리세요

읽기 (Reading) & 쓰기 (Writing)

1

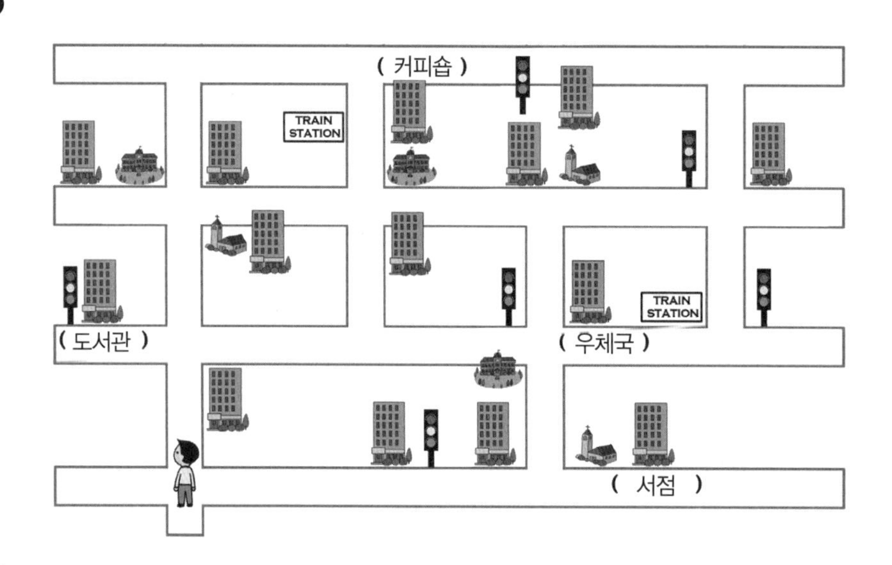

2

(1) 타세요 (2) 내리세요 (3) 보일 거예요 (4) 걸려요
(5) T (6) T (7) F (8) F
(9) T

3

(1) 에드먼턴은 캐나다에 있는 도시예요
(2) 샤닐은 부모님하고 동생하고 같이 살아요
(3) 샤닐 집 근처에는 큰 상가가 있어요
(4) 지하철역은 상가 건너편에 있어요
(5) 아침에는 지하철역이 좀 복잡해요
(6) 수영장은 동생이 다니는 학교 옆에 있어요

듣기 (Listening) & 쓰기 (Writing)

1

(1) Script 남자: 줄리아는 어디서 살아요? 여자: 저는 윈저 아파트에 살아요.
남자: 윈저 아파트가 어디 있어요?
Answer ① 대학교 근처에 있어요.

(2) Script 남자: 아파트 몇 층에 살아요? 여자: 8층에 살아요.
남자: 전망은 어때요?
Answer ④ 좋아요.

(3) Script 남자: 이 근처에 마트가 어디 있어요? 여자: 마트는 조금 멀어요. 지하철을 타세요.
Answer ③ 그럼, 지하철역은 어디 있어요?

(4) Script 남자: 저기 4번 버스가 보이지요? 여자: 네, 보여요.
Answer ① 그 버스를 타세요.

(5) Script 남자: 서울은 좀 복잡하지만 교통은 편리해요. 여자: 그래요? 서울에서 유명한 곳이 어디예요?
Answer ② 여러 군데 있어요.

2

(1) Script A: 이 근처에 지하철역이 어디 있어요?
B: 지하철역이 조금 멀어요. 저기 4번 버스가 보이지요?
A: 네, 보여요.
B: 그 버스를 타세요. 그리고 서울 초등학교 앞에서 내리세요. 지하철역은 초등학교 건너편에 있어요.
Answer ④ 초등학교 건너편에 지하철역이 있어요.

(2) Script A: 실례지만 말씀 좀 묻겠습니다. 서울 백화점이 어디 있어요?
B: 저기 신호등이 보이지요? 거기서 오른쪽으로 도세요, 그럼, 백화점이 보일 거예요.
A: 고맙습니다.
Answer ③ 신호등에서 오른쪽으로 가요.

(3) A: 이 사진은 에밀리 공원이에요. 이 곳은 많은 사람들이 방문하는 곳이에요.
B: 에밀리 공원에서 사람들이 뭘 해요?
A: 여름에는 산책하고 겨울에는 스케이트를 타요.
Answer ② 에밀리 공원에서 스케이트를 타요.

3

Script

(1) 준은 얼마나 자주 운동해요? 매일 운동해요.
(2) 샤닐은 얼마나 자주 운동해요? 매주 운동해요.
(3) 줄리아는 얼마나 자주 운동해요? 가끔 운동해요.
(4) 리아는 얼마나 자주 운동해요? 매일 저녁 운동해요.
(5) 제니는 얼마나 자주 운동해요? 거의 운동 안 해요.

줄리아	준	리아	샤닐	제니
Sometimes	Every day	Every evening	Every week	rarely

4

Script

여자	실례합니다. 말씀 좀 묻겠습니다. 이 근처에 지하철역이 어디 있어요?
벤	이 길로 쭉 가세요. 그럼, 사거리가 보일 거예요. 거기서 왼쪽으로 도세요. 지하철역은 아파트 지나서 약국 오른쪽에 있어요.
여자	감사합니다. 그런데 이 근처에 마트는 없어요?
벤	마트는 조금 멀어요. 저기 4번 버스가 보이지요?
여자	네.
벤	그 버스를 타세요. 그리고 서울 초등학교 앞에서 내리세요. 마트는 초등학교 뒤에 있어요.
여자	감사합니다.

(1) left, subway station (2) pharmacy (3) bus, mart
(4) bus, elementary school (5) behind

5

(1) 여기는 (2) 방문하는 (3) 오른쪽에는 (4) 근처에는
(5) 깨끗해요 (6) 여러 군데 (7) 구경해요 (8) 보여요
(9) 건너편에는 (10) 거기서 (11) 복잡해요 (12) 편리한 곳

6

Script

벤	줄리아는 어디서 살아요?
줄리아	저는 윈저 아파트에 살아요.
벤	윈저 아파트가 어디 있어요?
줄리아	대학교 근처에 있어요. 아주 가까워요. 걸어서 10분 걸려요.
벤	아파트 생활은 편리해요?
줄리아	네, 아파트 밑에 식당하고 커피숍이 있어요. 그리고 아파트 오른쪽에는 마트도 있어요. 마트 건너편에는 지하철역도 있어요. 그래서 아주 편리해요.
벤	그래요? 아파트 몇 층에 살아요?
줄리아	8층에 살아요. 그래서 전망도 좋아요.
벤	아파트는 깨끗해요?
줄리아	네, 깨끗하고 조용해요. 벤이 사는 기숙사는 어때요?
벤	기숙사에는 학생들이 많이 살아요. 그래서 조금 복잡해요. 그렇지만 도서관하고 식당이 가까워요.

(1) T (2) T (3) F (4) F (5) F

7

Script

우리 부모님은 서울에 사세요. 동네가 아주 깨끗하고 조용해요. 동네 옆에는 공원이 있어요. 공원이 아주 넓고 예뻐요. 그 공원에서 주말에 사람들은 자전거를 타요. 공원 안에는 테니스장도 있어요. 공원 건너편에는 고등학교가 있고 고등학교 옆에는 서점이 있어요. 서점에서는 책하고 잡지를 팔아요. 서점 앞에는 지하철역이 있어요. 저는 매일 지하철을 타고 학교에 가요. 공원 옆에는 도서관이 있어요. 도서관 옆에는 백화점도 있어요. 백화점이 아주 크고 좋아요. 백화점 건너편에는 우체국하고 약국하고 커피숍이 있어요. 그리고 도서관 건너편에 교회가 있어요. 우리 부모님 동네는 정말 편리해요.

(1) 준의 부모님 집은 서울에 있어요 (2) 동네 옆에 공원이 있어요
(3) 공원 안에는 테니스장이 있어요 (4) 공원에서 사람들이 자전거를 타요

(5) 지하철역은 서점 앞에 있어요
(6) 백화점 건너편에는 우체국하고 약국하고 커피숍이 있어요
(7) 서점에서 책하고 잡지를 팔아요

8

Script The answers will vary.

(1) 지금 어디 살아요?
(2) 가수는 뭐 하는 사람이에요?
(3) 어디서 왔어요?
(4) 어떤 날씨를 좋아해요?
(5) 부모님은 어디 사세요?
(6) 한국어를 가르치는 사람은 누구예요?
(7) 식당은 뭐 하는 데예요?
(8) 다운타운 도서관까지 어떻게 가요?

Lesson 5 • 영화 보러 갈까요?

단어 (Vocabulary)

1 Script 매표소, 치마, 샌드위치, 배, 바지, 콜라, 매진, 국수, 햄버거, 병

콜라	치마	샌드위치	햄버거	매표소
매진	국수	병	배	바지

2 Script 굉장히, 고기, 냉장고, 화장실, 창문, 침대, 하루, 호텔, 아직, 표

고기	호텔	굉장히	표	아직
창문	화장실	하루	냉장고	침대

3 Script 무겁다, 가볍다, 편하다, 슬프다, 아프다, 불편하다, 심심하다, 시끄럽다, 늦다, 남다, 신기하다

늦다	무겁다	가볍다	시끄럽다	남다	편하다
신기하다	슬프다	심심하다	불편하다	아프다	

4 Script 돕다, 돌아가다, 시작하다, 맵다, 무섭다, 끝나다, 만들다, 막히다, 벌다, 식사하다

돌아가다	시작하다	막히다	돕다	만들다
벌다	무섭다	끝나다	식사하다	맵다

문법 (Grammar)

1

Dictionary form	-을/ㄹ까요?	Dictionary form	-을/ㄹ까요?
가다	갈까요?	찍다	찍을까요?
드리다	드릴까요?	받다	받을까요?
구경하다	구경할까요?	넓다	넓을까요?
만들다	만들까요?	걷다	걸을까요?
듣다	들을까요?	알다	알까요?
덥다	더울까요?	어렵다	어려울까요?
좁다	좁을까요?	팔다	팔까요?

좋다	좋을까요?	크다	클까요?
멀다	멀까요?	가깝다	가까울까요?

2

(1) 서리나가 국수를 좋아할까요
(2) 준이 몇 시에 잘까요
(3) 기숙사에 냉장고가 있을까요
(4) 내일 날씨가 추울까요
(5) 서리나가 무슨 음악을 들을까요
(6) 음식이 많이 매울까요
(7) 오늘 교통이 많이 막힐까요
(8) 선생님이 어디 사실까요

3

Dictionary form	-었/았/했을까요?	Dictionary form	-었/았/했을까요?
가다	갔을까요?	찍다	찍었을까요?
드리다	드렸을까요?	받다	받았을까요?
구경하다	구경했을까요?	넓다	넓었을까요?
만들다	만들었을까요?	걷다	걸었을까요?
듣다	들었을까요?	알다	알았을까요?
덥다	더웠을까요?	어렵다	어려웠을까요?
좁다	좁았을까요?	살다	살았을까요?
좋다	좋았을까요?	크다	컸을까요?
학생이다	학생이었을까요?	학생이 아니다	학생이 아니었을까요?

4

(1) 전화했을까요, 전화했을 거에요
(2) 탔을까요, 탔을 거예요
(3) 만들었을까요, 만들었을 거예요
(4) 더웠을까요, 더웠을 거예요
(5) 만났을까요, 못 만났을 거예요
(6) 썼을까요, 썼을 거예요
(7) 들었을까요, 수업을 못 들었을 거예요
(8) 살았을까요, 살았을 거예요

5

(1) 칠까요
(2) 올까요
(3) 썼을까요
(4) 먹을까요
(5) 들었을까요
(6) 연습했을까요
(7) 찍을까요
(8) 클까요
(9) 놀까요
(10) 내렸을까요
(11) 만들까요
(12) 열었을까요
(13) 쉬웠을까요

6

(1) 좋을까요, 좋을 거예요.
(2) 일까요, 매진일 거예요
(3) 아팠을까요, 많이 아팠을 거예요
(4) 막힐까요, 오늘 교통이 굉장히 막힐 거예요
(5) 남았을까요, 안 남았을 거예요
(6) 벌었을까요, 돈을 많이 벌었을 거예요

7

Dictionary form	Present	Past	Dictionary form	Present	Past
남다	남는데	남았는데	늦다	늦는데	늦었는데
시작하다	시작하는데	시작했는데	벌다	버는데	벌었는데
듣다	듣는데	들었는데	끝나다	끝나는데	끝났는데
만들다	만드는데	만들었는데	막히다	막히는데	막혔는데
있다	있는데	있었는데	춥다	추운데	추웠는데

학생이다	학생인데	학생이었는데	학생이 아니다	학생이 아닌데	학생이 아니었는데
가수다	가수인데	가수였는데			
시끄럽다	시끄러운데	시끄러웠는데	걷다	걷는데	걸었는데
가볍다	가벼운데	가벼웠는데	무겁다	무거운데	무거웠는데
아프다	아픈데	아팠는데	돕다	돕는데	도왔는데
무섭다	무서운데	무서웠는데	슬프다	슬픈데	슬펐는데

8

The answers will vary, and the followings are examples.

(1) 인데

(2) 남았는데, 저한테 주세요

(3) 아픈데, 머리가 아픈데 집에 가서 쉬세요

(4) 먼데, 집이 먼데 택시를 타세요

(5) 더러운데, 손이 더러운데 손을 씻으세요

(6) 보냈는데, 아직 못 받았어요

(7) 긴데, 못 입어요

(8) 끝났는데, 숙제해요

9

(1) 오늘 저녁에 한국 음식을 먹고 싶은데 한국 식당을 몰라요

(2) 주말에 영화 보러 가고 싶은데 재미있는 영화가 없어요

(3) 생일에 친구한테서 선물을 받고 싶은데 친구가 없어요

(4) 한국어를 배우고 싶은데 대학교에 한국어 수업이 없어요

(5) 주말에 쉬고 싶은데 다음 주에 시험이 있어요

(6) 방학에 한국에 가고 싶은데 비행기 표가 너무 비싸요

(7) 남자/여자 친구를 사귀고 싶은데 괜찮은 여자/남자가 없어요

(8) 산책하고 싶은데 공원이 멀어요

10

The answers will vary.

11

(1) 지난 달에 책을 여섯 권이나 읽었어요

(2) 집에 강아지가 한 마리밖에 없어요

(3) 어제 물을 열 병이나 마셨어요

(4) 어제 노래방에서 4시간 동안이나 노래했어요

(5) 우리 학교에 한국어 선생님이 일곱 분이나 계세요

(6) 그 기숙사에 학생이 백 명이나 살아요

(7) 아버지께서 돈을 십 불 밖에 안 주셨어요

(8) 수업에 다섯 번이나 늦었어요

12

Fill out the table.

Basic form	Present form -네요	Past form -었/았/했네요
책이다	책이네요	책이었네요
책이 아니다	책이 아니네요	책이 아니었네요
예쁘다	예쁘네요	예뻤네요
춥다	춥네요	추웠네요
심심하다	심심하네요	심심했네요
듣다	듣네요	들었네요
만들다	만드네요	만들었네요
살다	사네요	살았네요
놀다	노네요	놀았네요

벌다	버네요	벌었네요
멀다	머네요	멀었네요
열다	여네요	열었네요

13

날씨가 참 좋네요	날씨가 춥네요	침대가 아주 비싸네요	저기 줄리아가 오네요	오늘은 심심하네요

14

(1) 했네요 (2) 돌아갔네요 (3) 공부했네요 (4) 읽었네요 (5) 만들었네요
(6) 걸렸네요 (7) 끝났네요 (8) 더웠네요 (9) 살았네요 (10) 태어났네요

15

(1) 많네요. ③ 야채로 점심 만들까요?
(2) 아프네요. ① 약을 드세요.
(3) 남았네요. ⑧ 네, 사람들이 음식을 많이 안 먹었어요.
(4) 깨끗하네요. ⑥ 네, 오늘 아침에 청소했어요.
(5) 맵네요. ⑤ 물을 좀 드릴까요?
(6) 시끄럽네요. ⑦ 그럼, 집에 가서 공부할까요?
(7) 복잡하네요. ② 그럼, 지하철을 탈까요?
(8) 일어났네요. ⑨ 네, 어제 일찍 잤어요.
(9) 이네요, ④ 그럼, 4시 표를 살까요?

16

(1) 머리가 아프네요
(2) 가방이 무겁네요
(3) 벤이 오늘도 늦네요
(4) 리아가 김밥을 잘 만드네요
(5) 방학이 끝났네요
(6) 이 영화는 너무 슬프네요
(7) 초등학생들이 길을 잘 건너네요
(8) 집이 굉장히 머네요
(9) 저기 지하철역이 보이네요
(10) 많은 사람이 공원에서 걷네요.

17

Regular verbs/ adjectives	앉다	앉아서	먹다	먹어서	불편하다	불편해서
	좁다	좁아서	늦다	늦어서	복잡하다	복잡해서
	남다	남아서	찍다	찍어서	시작하다	시작해서
Contraction verbs/ adjectives	가다	가서	지내다	지내서	배우다	배워서
	바쁘다	바빠서	크다	커서	오다	와서
	슬프다	슬퍼서	마시다	마셔서	주다	줘서
	아프다	아파서	막히다	막혀서	보다	봐서
ㄷ irregular	듣다	들어서	걷다	걸어서	묻다	물어서
ㅂ irregular	어렵다	어려워서	덥다	더워서	춥다	추워서

18

(1) 일해서 (2) 싫어해서 (3) 심심해서 (4) 아파서 (5) 살아서
(6) 무거워서 (7) 흐려서 (8) 와서 (9) 들어서 (10) 싶어서

19

(1) 벤은 오늘 늦게 일어나서 아침을 못 먹었어요
(2) 방이 더러워서 청소했어요
(3) 오늘 비가 와서 테니스 치러 못 갔어요
(4) 병원이 멀어서 차로 갔어요
(5) 샤닐은 파티에서 즐거워서 춤을 추었어요
(6) 숙제가 어려워서 두 시간이나 걸렸어요
(7) 케빈은 강아지를 갖고 싶어서 부모님께 편지를 썼어요

20

(1) 비가 와서
(2) 늦게 일어나서
(3) 요리를 잘 못 해서
(4) 오늘 수업이 없어서
(5) 차를 사고 싶어서
(6) 교통이 막혀서
(7) 전망이 좋아서

21

(1) 차가 막혀서요
(2) 바빠서요
(3) 머리가 아파서요
(4) 운동하고 싶어서요
(5) 방이 더러워서요
(6) 피곤해서요
(7) 질문이 있어서요

읽기 (Reading) & 쓰기 (Writing)

1

(1) ② 한국어를 왜 배워요?
(2) ③ 한국에서 공부하고 싶어서요.
(3) ③ 한국 영화를 좋아하는 사람들
(4) 한국에 여행가고 싶어서 한국어를 배워요
(5) 한국 친구를 사귀고 싶어서 한국어를 배워요

2

멀어요.	고향 식당	음식이 싸요.	고향 식당
사람이 많아요	X	가까워요.	서울 식당
다운타운에 있어요.	서울 식당	지하철로 갈 수 있어요	서울 식당
음식이 맛있어요.	고향 식당	유명해요.	X
깨끗해요.	서울 식당	교통이 복잡해요	서울 식당

3

(1) 벤은 내일 시험이 있어서 도서관에서 공부했어요
(2) 벤은 한국 음식을 먹고 싶어서 준한테 전화했어요
(3) 벤하고 준은 저녁에 한국 식당에 갔어요
(4) 벤하고 준은 버스를 타고 식당에 갔어요
(5) 도서관에서 식당까지 40분이나 걸렸어요
(6) 사람이 많아서 굉장히 복잡했어요
(7) 밤에는 버스가 자주 안 와서 불편했어요

듣기 (Listening) & 쓰기 (Writing)

1

(1) Script 서리나: 어머! 매표소에 사람이 굉장히 많네요! 벤: 영화표를 살 수 있을까요?
Answer ① 표가 매진일 거예요.

(2) Script 서리나: 차가 많이 막히네요. 벤: 지하철 타고 집에 갈까요?
Answer ② 좋은 생각이에요.

(3) Script 서리나: 여기가 제 방이에요. 벤: 방이 참 깨끗하네요.
Answer ① 네, 자주 방을 청소해요.

(4) Script 서리나: 어제 병원에 갔어요. 벤: 왜요?
Answer ④ 배가 아파서요.

(5) Script 서리나: 다음 영화는 언제 시작해요? 벤: 8시에 시작해요.
Answer ③ 시간이 많이 남았네요.

2

(1) **Script** 샤닐: 내가 괜찮은 식당을 아는데 거기로 갈까요? 리아: 여기서 가까워요?
샤닐: 네, 버스로 10분밖에 안 걸려요.
Answer ③ 샤닐은 식당에 가고 싶어해요.

(2) **Script** 리아: 크리스마스 선물 많이 받았어요? 샤닐: 아니요, 조금밖에 못 받았어요. 리아는요?
리아: 저는 4개나 받았어요.
Answer ③ 리아는 선물을 많이 받았어요.

(3) **Script** 리아: 오늘 시험이 끝났어요. 샤닐: 그래요? 저하고 지금 커피 한 잔 할까요?
리아: 미안해요. 오늘 커피를 벌써 3잔이나 마셨어요.
Answer ④ 리아는 커피를 많이 마셨어요.

3

Script

벤은 아침에 늦게 일어나서 수업에 늦었어요. 서리나는 차가 막혀서 학교에 못 갔어요. 샤닐은 머리가 아파서 병원에 갔어요. 제니는 선물을 사고 싶어서 백화점에 갔어요. 리아는 시험이 있어서 도서관에 갔어요. 준은 오늘 수업이 없어서 공원에 갔어요.

벤 – Was late for class – Because he/she got up late in the morning
샤닐 – Went to the hospital – Because s/he had a headache
서리나 – Could not go to school – Because there's a traffic jam
리아 – Went to the library – Because he/she had an exam
준 – Went to the park – Because there was no class
제니 – Went to the department store – Because he/she wanted to buy a present.

4

(1) 얼마동안 (2) 막힐까요 (3) 늦었을까요 (4) 10분밖에 (5) 매표소, 굉장히
(6) 생각이네요 (7) 남았네요 (8) 시끄러워서 (9) 도와주셔서 (10) 끝났어요

5

Script

서리나 안녕하세요? 케빈, 오래간만이에요.
케빈 네, 반가워요. 요즘도 기숙사에 살아요?
서리나 네, 벌써 1년 동안이나 기숙사에 살았어요.
케빈 기숙사가 어때요?
서리나 학교하고 식당이 가까워서 좋은데 좀 시끄러워요.
케빈 학교 생활은 재미있어요?
서리나 네, 이번 학기에 한국어 수업을 듣는데 한국어 수업에 친구들이 많아서 안 심심해요. 케빈은 여기서 집이 가까워요?
케빈 아니요. 좀 멀어요. 그래서 차로 학교에 와요.
서리나 아침에는 교통이 안 막혀요?
케빈 아니요, 자주 막혀요. 그래서 좀 불편해요.

(1) F (2) F (3) T (4) T (5) F
(6) 기숙사가 좀 시끄러워요
(7) 서리나는 1년동안 기숙사에서 살았어요
(8) 서리나는 한국어 반에 친구가 많아서 안 심심해요
(9) 아침에 교통이 자주 막혀서 불편해요

6

Script

벤	내일 우리 같이 산책하러 갈까요?
서리나	좋아요. 그런데 내일 날씨가 따뜻할까요?
벤	네, 흐리지만 따뜻할 거예요.
서리나	어디서 산책할까요?
벤	에밀리 공원이 어떨까요?
서리나	에밀리 공원이 학교에서 가까워요?
벤	네, 걸어서 10분밖에 안 걸려요.
서리나	그럼, 몇 시에 만날까요?
벤	오전 11시 30분쯤이 어때요?
서리나	좋아요. 어디서 만날까요?
벤	학교 식당 앞에서 만날까요?
서리나	좋아요. 그럼 11시 30분에 학교 식당 앞에서 만나요.

(1) F (2) F (3) T (4) T (5) T

7

Script

샤닐	안녕하세요. 리아. 저는 샤닐이에요.
리아	샤닐, 안녕하세요? 왜 전화했어요?
샤닐	심심해서 전화했어요. 리아는 오늘 바빠요?
리아	아니요, 오늘은 안 바빠요. 왜요?
샤닐	오늘 저하고 같이 영화 보러 갈까요?
리아	보고 싶은 영화가 있어요?
샤닐	네, 재미있는 코메디 영화가 있는데 리아하고 같이 그 영화를 보고 싶어서요.
리아	영화가 몇 시에 시작해요?
샤닐	5시에 시작해요.
리아	영화관이 여기서 가까워요?
샤닐	네, 버스로 15분밖에 안 걸려요.
리아	지하철로 갈까요? 지하철이 빠르고 편해요.
샤닐	아니요, 오늘은 제 차로 가요. 토요일에는 교통이 안 막힐 거예요.

(1) 샤닐이 심심해서 전화했어요
(2) 샤닐은 리아하고 같이 코메디 영화를 보고 싶어해요
(3) 버스로 15분 걸려요
(4) 샤닐 차를 타고 영화관에 갈 거예요. 토요일에는 교통이 안 막혀서요

8

Script

샤닐은 어제 아침에 테니스를 치러 체육관에 가고 싶었어요. 그래서 벤한테 전화했어요. 그런데 벤이 전화를 안 받았어요. 그래서 샤닐은 혼자 체육관에 가서 운동했는데 거기서 준을 만났어요. 샤닐은 준을 만나서 좋았어요. 샤닐하고 준은 운동하고 커피숍에도 갔어요. 커피숍이 가까워서 걸어서 5분밖에 안 걸렸어요. 샤닐은 커피하고 빵을 주문했는데 준은 아침에 커피를 벌써 2잔이나 마셔서 콜라하고 샌드위치를 주문했어요. 샤닐하고 준은 오후 3시에 커피숍에서 나왔어요. 샤닐은 버스를 타고 집에 돌아왔는데 차가 막혀서 집까지 40분이나 걸렸어요.

(1) 샤닐은 테니스를 치러 체육관에 가고 싶어서 벤한테 전화했어요
(2) 벤이 전화를 안 받아서 샤닐은 벤하고 같이 체육관에 못 갔어요
(3) 샤닐하고 준은 운동하고 커피숍에 갔어요
(4) 준은 아침에 커피를 벌써 두 잔이나 마셔서 콜라를 주문했어요
(5) 샤닐은 버스를 타고 집에 갔어요. 집까지 40분이나 걸렸어요
(6) 차가 막혀서 40 분이나 걸렸어요

Script The answer will vary.

(1) 얼마동안 한국어를 배웠어요?
(2) 오늘 교통이 많이 막힐까요?
(3) 한국은 어제 날씨가 맑았을까요?
(4) 집에서 학교까지 얼마나 걸려요?
(5) 한 달동안 몇 번 마트에 가요?
(6) 어제 몇 시간 잤어요?
(7) 오늘 왜 수업 시간에 늦었어요?
(8) 왜 학교에 걸어서 갔어요?
(9) 왜 숙제를 안 했어요?
(10) 왜 한국어를 배워요?

Memo

Memo